Búsqueda de lo vital:

El desarrollo de la vida espiritual

Un estudio bíblico para edificar al pueblo cristiano

SERENDIPITY
H O U S E
Español

CONEXIONES

ISBN: 1-5749-4173-9
Clasificación Decimal Dewey: 248.84
Título por tema:
VIDA ESPIRITUAL \ DIOS \ DISCIPULADO

A menos que se indique lo contrario todas las citas bíblicas se
ha tomado de la Santa Biblia, Versión Reina-Valera 1960,
© copyright 1960, Sociedades Bíblicas en América Latina.
Usadas con permiso.

Traducido al español por *Sandra R. Leoni*
Diseño de portada e interior por *Grupo Nivel Uno, Inc.*

Para obtener ejemplares adicionales de esta
publicación y otros estudios:
PÍDALOS EN LÍNEA EN *www.SerendipityHouse.com*
ESCRIBA A:
Serendipity House
117 10th Avenue North
Nashville, TN 37234, EE. UU.
FAX (615) 277-8181
TELÉFONO (800) 257-7744

Impreso en Colombia
11 10 09 08 07 06 05   1 2 3 4 5 6 7 8 9 10

Índice

Valores fundamentales

Comunidad: El objetivo de este currículo es edificar a la comunidad que pertenece al cuerpo de creyentes en Jesucristo.

Proceso de grupo: Para llevar a cabo la edificación del pueblo cristiano, este currículo debe planificarse para guiar al grupo paso a paso en un proceso donde cada uno comente el relato con los otros.

Estudio bíblico interactivo: Para "compartir el relato", el enfoque de la Escritura en dicho currículo necesita ser abierto y trabajarse desde una perspectiva intuitiva, creativa y de síntesis "para nivelar el campo de juego" y animar a que todos participen.

Etapas de desarrollo: Para ofrecer un programa saludable en el ciclo de vida de un grupo, el currículo debe ofrecer cursos en tres niveles de compromiso:

(1) **Nivel inicial:** nivel preparatorio, de estructura elevada, para nivelar el campo de juego;

(2) **Nivel de crecimiento:** estudio bíblico más profundo, de estructura flexible, para animar al grupo a que los unos sean responsables de los otros;

(3) **Nivel de discipulado:** estudio en profundidad, de estructura abierta, para llevar al grupo a un nivel más alto.

Destinatarios: Para edificar al pueblo cristiano por medio de la cultura de la iglesia, el currículo necesita ser flexible, adaptarse y poder transferirse a la estructura de una iglesia promedio.

Misión: Extender el reino de Dios de a una persona a la vez al ocupar "la silla desocupada". (Con lo cual agregaremos una silla más en cada sesión de grupo para que nos recuerde cuál es nuestra misión.)

Pacto del grupo

Es importante que tu grupo se ponga de acuerdo en forma conjunta para llevar a la práctica los valores propuestos. Una vez que todos estén de acuerdo con dichos valores, tu grupo estará listo para experimentar la vida comunitaria cristiana. Es importante en sumo grado que tu grupo debata acerca de estos valores, de preferencia al comienzo del estudio. Lo más apropiado es hacerlo en la primera sesión. (Verifica cuáles son las reglas con las que todos los miembros del grupo están de acuerdo.)

- [ ] **Prioridad:** Mientras se desarrolle este curso, le darás prioridad a estos encuentros grupales.

- [ ] **Participación:** Se animará a que todos participen, sin dejar que domine nadie en particular.

- [ ] **Respeto:** Todos tienen derecho a dar su opinión y a plantear preguntas en un entorno motivador y de respeto.

- [ ] **Confidencialidad:** Todo lo que se dice en el grupo debe mantenerse de forma reservada, y no repetirse fuera de éste.

- [ ] **Cambio de vida:** Evaluaremos con regularidad las metas que modifican nuestra propia vida, animándonos unos a otros en nuestra búsqueda de ser más semejantes a Cristo.

- [ ] **La silla desocupada:** El grupo tiene una actitud de apertura para alcanzar a personas nuevas en cada encuentro.

- [ ] **Cuidado y apoyo:** Se le permitirá a cada uno contar con los demás en cualquier momento, en especial en épocas de crisis. El grupo le ofrecerá cuidado a todos los participantes.

- [ ] **Responsabilidad mutua:** Se permitirá que los participantes del grupo nos hagan responsables de los compromisos que se asuman, dentro de un marco de amor decidido de común acuerdo.

- [ ] **Misión:** Haremos todo lo que esté a nuestro alcance para comenzar un grupo nuevo.

- [ ] **Ministerio:** El grupo se animará de forma mutua para servir de manera voluntaria en el ministerio y apoyar a las misiones económicamente y por medio del servicio personal.

apuntes

Hablemos con Dios

Preparémonos para la sesión

	LECTURAS	PREGUNTAS DE REFLEXIÓN
Lunes	Mateo 6:5–6	¿Cuándo, dónde y por qué oras?
Martes	Mateo 6:7–8	¿Cuál fue la última vez que le diste las gracias a Dios por conocer tus necesidades y escuchar tus oraciones?
Miércoles	Mateo 6:9–10	¿Por qué área de tu vida orarás esta semana para que se cumpla la voluntad de Dios?
Jueves	Mateo 6:11–13	¿A quién necesitas perdonar? ¿Lo harás?
Viernes	Salmo 139:23–24	¿Qué cosas hay en tu vida que son ofensivas? ¿Le pedirás a Dios esta semana que te las revele y te cambie?
Sábado	Marcos 7:24–30	Cuando te diriges a Dios en oración, ¿lo haces como si tuvieras derecho a ello, o con una actitud de humildad?
Domingo	Filipenses 4:6–7	Si Dios todo lo puede, ¿por qué te sientes ansioso o angustiado?

ESTUDIO BÍBLICO
- comprender mejor la importancia que Dios le da a la oración
- reconocer cuál es la oración que Dios acepta
- comprender que se puede orar por todo asunto y ampliar así el alcance de la conversación

CAMBIO DE VIDA
- establecer una intimidad con Dios en forma regular al dedicar tiempo diario para adorarlo
- controlar la angustia y las preocupaciones con la oración
- confeccionar una lista de oración para usarla al orar por otros

Rompehielos

(10-15 minutos)

No se admiten duplicados. Cada persona es única de un modo maravilloso... en la combinación de su personalidad, familia, origen, aspecto físico, preferencias, creencias, valores, metas y experiencias. Las huellas digitales, distintivas de cada persona, constituyen un recordatorio de la singularidad de un individuo. Compartan su respuesta para la siguiente pregunta a fin de conocerse mejor en el grupo:

¿Qué experiencia has tenido que sea tan exclusiva, que casi podría garantizarse que nadie más del grupo la ha tenido?
☐ unas vacaciones fuera de lo común
☐ una lesión extraña
☐ un premio especial
☐ haber conocido en persona a alguien famoso
☐ una aventura única en su tipo
☐ un logro destacable
☐ otra: _____

Estudio bíblico

(30-45 minutos)

APRENDAMOS DE LA BIBLIA

MATEO 6:5–13

Pasaje bíblico para esta semana:

⁵Y cuando ores, no seas como los hipócritas; porque ellos aman el orar en pie en las sinagogas y en las esquinas de las calles, para ser vistos de los hombres; de cierto os digo que ya tienen su recompensa. ⁶Mas tú, cuando ores, entra en tu aposento, y cerrada la puerta, ora a tu Padre que está en secreto; y tu Padre que ve en lo secreto te recompensará en público. ⁷Y orando, no uséis vanas repeticiones, como los gentiles, que piensan que por su palabrería serán oídos. ⁸No os hagáis, pues, semejantes a ellos; porque vuestro Padre sabe de qué cosas tenéis necesidad, antes que vosotros le pidáis.

⁹Vosotros, pues, oraréis así: Padre nuestro que estás en los cielos, santificado sea tu nombre. ¹⁰Venga tu reino. Hágase tu voluntad, como en el cielo, así también en la tierra. ¹¹El pan nuestro de cada día, dánoslo hoy. ¹²Y perdónanos nuestras deudas, como también nosotros perdonamos a nuestros deudores. ¹³Y no nos metas en tentación, mas líbranos del mal.

...acerca de la sesión de hoy

PALABRAS DEL LÍDER
Escribe aquí tus respuestas.

1. Una de las motivaciones más comunes pero menos eficaces para orar es la palabra _____.

2. La oración genuina prevalece cuando el creyente se convence de su _____ y siente el poder en su _____.

3. Las tres preguntas importantes para responder con respecto a la oración eficaz son:

   • _____

   • _____

   • _____

Identifiquémonos con el relato

En grupos de 6–8 personas colocadas en forma de herradura y explorar las preguntas mientras haya tiempo.

1. Si pudieras conversar con una persona famosa, ¿a quién elegirías?

   ☐ el presidente ☐ un político ☐ un actor
   ☐ un escritor ☐ un músico ☐ otra: _____

2. Coloca una X sobre la línea para indicar lo que sentías al hablar con tu padre terrenal sobre tus problemas cuando eras niño o adolescente.

   muy a gusto . . . . sumamente incómodo

3. ¿Qué lugar silencioso es tu favorito para encontrarte con Dios?

la sesión de hoy

1. ¿Cuáles son algunas de las razones bíblicas confiables por las que debes hablar con Dios?

¿Qué te está enseñando Dios mediante este relato?

2. ¿Por qué Dios espera que hables de *Él* en tu oración? ¿Qué podrías decirle *sobre* Él mismo?

3. Si Dios conoce tus pecados, ¿por qué es necesario hablarle de eso?

4. ¿Qué áreas e inquietudes de la vida son importantes para Dios, y Él desea que ores por eso?

5. Nombra tres aspectos de la oración identificados en el pasaje de Mateo.

6. ¿Cuáles son los dos episodios de Marcos donde vemos la necesidad de equilibrar la audacia con la humildad al acercarnos a Dios?

   1. _____

   2. _____

Aprendamos del relato

En grupos de 6–8 personas colocadas en forma de herradura; elegir una respuesta y explicar por qué se eligió.

1. ¿Qué aspecto de la conversación con Dios te llamó más la atención?

☐ privacidad   ☐ sinceridad
☐ consideración   ☐ audacia
☐ humildad

2. Al hablar con Dios, ¿qué asuntos te hacen sentir muy a gusto y cuáles te hacen sentir sumamente incómodo?

MUY A GUSTO: SUMAMENTE INCÓMODO:
☐ Él mismo   ☐ Él mismo
☐ yo mismo   ☐ yo mismo
☐ otros   ☐ otros

3. Un área de la oración que me gustaría comprender y practicar mejor es:

☐ adorar a Dios por lo que Él es
☐ darle gracias específicas a Dios por su bondad hacia mí
☐ confesar mis pecados
☐ reconocer mis necesidades y pedir ayuda
☐ orar por mis familiares y otras personas
☐ otra: _____

4. ¿Cuál es tu motivo de oración personal más importante en este momento?

☐ físico: _____   ☐ emocional: _____
☐ espiritual: _____   ☐ de relación: _____
☐ financiero: _____   ☐ vocacional: _____

lecciones para cambiar mi vida

¿Cómo puedes aplicar esta sesión a tu vida?

Escribe aquí tus respuestas.

1. ¿Qué cosa puedes darle a Dios que Él no pueda darse a sí mismo?

2. ¿Qué ejercicio práctico y/o recurso podrías usar para conocer mejor la naturaleza de Dios?

11

3. ¿Qué propósito tiene orar con las manos bajas o alzadas? ¿En qué área de tu vida necesitas la paz de Dios?

4. ¿Quiénes son las personas por las que quieres orar a diario? ¿O por semana?

Ministración

(15-20 minutos)

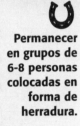

Permanecer en grupos de 6-8 personas colocadas en forma de herradura.

Este es el momento de crecer y demostrar el cuidado y la preocupación que tenemos por los otros, y de expresarlo en oración.

Usa la pregunta 4 de "Aprendamos del relato" para que los participantes, por turno, identifiquen la categoría referente a su necesidad (física, emocional, espiritual, de relación, financiera, vocacional). Detalla brevemente las necesidades. Oren por dichas necesidades y por todas las que tienes en la lista de oración y alabanza. Oren por la "silla desocupada". Oren para que Dios los guíe a invitar a alguien para la próxima semana.

Puedes interceder por las peticiones y los asuntos de las personas de una en una. Si lo prefieren pueden orar en silencio, y cuando la persona termine indícale que diga "amén" para que el grupo sepa que ha terminado de orar, y la siguiente persona sepa cuándo comenzar.

Referencias

Usa estos apuntes para comprender mejor el texto cuando lo estudies tú solo.

no seas como los hipócritas. Creemos que los hipócritas son aquellas personas religiosas que actúan de un modo espiritual en la iglesia pero mundano en cualquier otra parte. En su origen, el término hipocresía no se refería a esta contradicción, sino al papel que desarrollaba un actor. Jesús se valió de esta palabra para dar a entender que los actores representaban una escena y recitaban sus partes para la audiencia, pero sin creer en todo eso.

ellos aman el orar en pie en las sinagogas y en las esquinas de las calles. Jesús no estaba condenando de un modo general a quienes oraban en público. Los judíos devotos y genuinos lo hacían tres veces al día. No tenía nada de malo estar de pie para orar, aun en público, porque esta era la postura normal que se practicaba entre los judíos. Hay muchos ejemplos registrados en las Escrituras de oraciones hechas en público con sinceridad y pasión. Jesús objetaba la motivación de la oración en público porque era *para ser vistos de los hombres.* Jesús identificó esta motivación en algunos de los que oraban en público como una búsqueda de aprobación por parte del público que presenciaba el espectáculo religioso. Fíjate que Jesús hace un llamado de atención similar cuando se refiere a la motivación genuina con respecto a la ofrenda y el ayuno (Mat. 6:1–4,16–18). La motivación de Ananías y Safira al dar un informe falso con respecto a la venta de su propiedad fue impactar a los demás con su supuesto sacrificio (Hechos 4:32–5:11). Deberíamos alegrarnos al saber que Dios no expone nuestras motivaciones impuras.

entra en tu aposento. Algunas traducciones dicen "cuarto". Dicha palabra también se refiere a un lugar para guardar cosas. El sitio brinda privacidad para un público formado por Una sola Persona.
Tu Padre ... te recompensará. Nuestra tendencia es adecuar la recompensa con algún tipo de premio material. La frase se podría traducir por "te responderá". (Ver Hebreos 11:6: "Dios... recompensa a quienes lo buscan". NVI)

orando, no uséis vanas repeticiones, como los gentiles, que piensan que por su palabrería serán oídos. El verbo griego *battalogeo* es único en la literatura bíblica y secular. No se vuelve a usar este término en ningún otro versículo. En definitiva, la sinceridad y la pasión de nuestras palabras son las que nos comprometen con Dios.

vuestro Padre sabe de qué cosas tenéis necesidad, antes que vosotros le pidáis. ¿Por qué oramos y le pedimos a Dios cuando Él ya sabe lo que necesitamos? Comprender la omnisciencia de Dios no debe desestimar la necesidad de pedir. Santiago escribió: "No tenéis lo que deseáis, porque no pedís" (4:2). Nunca le *informaremos* al omnisciente Dios de algo. Sin embargo, el conocimiento total de nuestras necesidades no deja a un lado el orden en el reino de Dios: Pedir, buscar y llamar. Ni siquiera un errante monólogo de elocuencia o la filibustería de una oración repetitiva impresionarán a Dios o lo cansarán hasta rendirse. La frase que Jesús usa, "vuestro Padre", es un recordatorio mayor de que Dios no escatima una respuesta, sino que es sensible a las necesidades de sus hijos.

apuntes

Escuchemos a Dios

Preparémonos para la sesión

	LECTURAS	PREGUNTAS DE REFLEXIÓN
Lunes	1 Samuel 3:1–3	¿Qué esfuerzo ha hecho Dios para que tú te comprometas?
Martes	1 Samuel 3:4	¿Cómo te darías cuenta si Dios te hablase? ¿Qué le responderías?
Miércoles	1 Samuel 3:5–7	Trata de recordar algún momento en que Dios te reveló sus palabras de la Biblia y te habló al corazón.
Jueves	1 Samuel 3:8–9	¿A dónde acudes para obtener el consejo de gente madura espiritualmente?
Viernes	1 Samuel 3:10–14	Dios sabe cómo te llamas y quiere que lo escuches. ¿Qué cosas te ayudan a escuchar a Dios?
Sábado	1 Samuel 3:15	Cuando estás atribulado ¿te tranquiliza estar en la casa del Señor (la iglesia)? ¿De qué manera te ayuda a tranquilizarte la fe?
Domingo	1 Samuel 3:16–20	¿Saben tus vecinos y compañeros de trabajo que sigues a Jesús? ¿Por qué sí o por qué no?

ESTUDIO BÍBLICO

- descubrir cómo nos habla Dios hoy
- entender mejor cómo escuchar a Dios
- reconocer la fuente y el origen de las sensaciones e impulsos que sentimos

CAMBIO DE VIDA

- disminuir el ritmo y detenernos lo suficiente para escuchar a Dios al establecer un determinado tiempo para pasar con Él cada semana
- recluirnos para poder escuchar a Dios al establecer un determinado tiempo con Él a solas por semana
- sentirnos cómodos con el silencio para poder escuchar a Dios y evitar la radio o la televisión una hora cada noche

Rompehielos

(10-15 minutos)

NOS REUNIMOS En grupos de 6–8 personas, colocadas en forma de herradura.

Cara o cruz. El rompehielos de la semana pasada ayudó a los miembros del grupo a recordar y compartir experiencias significativas y únicas que hubieran tenido en su vida. Esta semana el tiempo para recordar será menor. Pídele una moneda a alguien. La primera persona echa la moneda y mientras cae anuncia si será "cara" o "cruz"." Si salió "cara" la persona deberá contar algo motivador, divertido o entretenido que le haya sucedido durante la semana. Si salió "cruz" la persona deberá contar en pocas palabras alguna situación que fue decepcionante o de mucha tensión.

Sé flexible. Dales a los miembros del grupo la opción de decidir lo contrario a la opción que les ha tocado al echar la moneda. Algunos pueden sentirse abatidos por algo que no encaja en la categoría de "cara". De igual modo, a alguien le puede haber salido "cruz", y sin embargo, quizá esa persona tenga necesidad de contar buenas noticias. También ten en cuenta que algunos miembros del grupo podrían sentirse incómodos al tener que compartir algo serio.

Información para recordar: En los espacios provistos anota la información que vas a necesitar, como parte de este grupo, en las próximas semanas:

PERSONAS:

1. Alguien que se ha ausentado esta semana:

2. Algo que podría hacerse para ayudar a que esta persona sepa que la hemos extrañado:

EVENTOS: Un evento que se realizará y en el que quiero asegurarme de que participaré es _____. Será a la/s _____ (hora) el _____ (fecha) en _____ (lugar).

Y si tengo tiempo, me gustaría también participar en _____. Será a la/s _____ (hora) el _____ (fecha) en _____ (lugar).

Estudio bíblico

(30-45 minutos)

Pasaje bíblico para esta semana:

APRENDAMOS DE LA BIBLIA

1 SAMUEL 3:1–20

¹El joven Samuel ministraba a Jehová en presencia de Elí; y la palabra de Jehová escaseaba en aquellos días; no había visión con frecuencia.

²Y aconteció un día, que estando Elí acostado en su aposento, cuando sus ojos comenzaban a oscurecerse de modo que no podía ver, ³Samuel estaba durmiendo en el templo de Jehová, donde estaba el arca de Dios; y antes que la lámpara de Dios fuese apagada, ⁴Jehová llamó a Samuel; y él respondió: Heme aquí.

⁵Y corriendo luego a Elí, dijo: Heme aquí; ¿para qué me llamaste? Y Elí le dijo: Yo no he llamado; vuelve y acuéstate. Y él se volvió y se acostó. ⁶Y Jehová volvió a llamar otra vez a Samuel. Y levantándose Samuel, vino a Elí y dijo: Heme aquí; ¿para qué me has llamado? Y él dijo: Hijo mío, yo no he llamado; vuelve y acuéstate.

⁷Y Samuel no había conocido aún a Jehová, ni la palabra de Jehová le había sido revelada.

⁸Jehová, pues, llamó la tercera vez a Samuel. Y él se levantó y vino a Elí, y dijo: Heme aquí; ¿para qué me has llamado? Entonces entendió Elí que Jehová llamaba al joven.

⁹Y dijo Elí a Samuel: Ve y acuéstate; y si te llamare, dirás: Habla, Jehová, porque tu siervo oye. Así se fue Samuel, y se acostó en su lugar.

¹⁰Y vino Jehová y se paró, y llamó como las otras veces: ¡Samuel, Samuel! Entonces Samuel dijo: Habla, porque tu siervo oye.

¹¹Y Jehová dijo a Samuel: He aquí haré yo una cosa en Israel, que a quien la oyere, le retiñirán ambos oídos. ¹²Aquel día yo cumpliré contra Elí todas las cosas que he dicho sobre su casa, desde el principio hasta el fin. ¹³Y le mostraré que yo juzgaré su casa para siempre, por la iniquidad que él sabe; porque sus hijos han blasfemado a Dios, y él no los ha estorbado. ¹⁴Por tanto, yo he jurado a la casa de Elí que la iniquidad de la casa de Elí no será expiada jamás, ni con sacrificios ni con ofrendas.

¹⁵Y Samuel estuvo acostado hasta la mañana, y abrió las puertas de la casa de Jehová. Y Samuel temía descubrir la visión a Elí. ¹⁶Llamando, pues, Elí a Samuel, le dijo: Hijo mío, Samuel. Y él respondió: Heme aquí.

¹⁷Y Elí dijo: ¿Qué es la palabra que te habló? Te ruego que no me la encubras; así te haga Dios y aun te añada, si me encubrieres palabra de todo lo que habló contigo. ¹⁸Y Samuel se lo manifestó todo, sin encubrirle nada. Entonces él dijo: Jehová es; haga lo que bien le pareciere.

¹⁹Y Samuel creció, y Jehová estaba con él, y no dejó caer a tierra ninguna de sus palabras. ²⁰Y todo Israel, desde Dan hasta Beerseba, conoció que Samuel era fiel profeta de Jehová.

...acerca de la sesión de hoy

PALABRAS DEL LÍDER

Escribe aquí tus respuestas.

1. ¿Qué verdad o principio se transmite en la ilustración de la radio?

2. Tres preguntas relevantes para responder referentes a escuchar a Dios son:

- _____
- _____
- _____

Identifiquémonos con el relato

En grupos de 6–8 personas colocadas en forma de herradura y explorar las preguntas mientras haya tiempo.

2

1. Uno de los sonidos más prominentes que escucho con más frecuencia un día típico es:

☐ timbre del teléfono   ☐ maquinaria
☐ voces de niños   ☐ tránsito
☐ localizador/beeper   ☐ música
☐ alguien hablando
☐ golpeteo de las teclas de la computadora
☐ voz en el intercomunicador o altoparlante
☐ otro:_____

2.¿Qué instrumentos musicales producen el sonido que más te calma?

☐ saxofón   ☐ flauta
☐ guitarra acústica   ☐ tuba
☐ violín   ☐ piano
☐ arpa   ☐ otro:_____

3. Algunos de los mejores consejos que escuché me han:

☐ impedido tomar una decisión imprudente
☐ impedido meterme en problemas
☐ hecho un mejor esposo/esposa/padre/persona
☐ cambiado la dirección que estaba tomando mi vida
☐ requerido que actúe de forma contraria a mis emociones
☐ influido mi forma de considerar el noviazgo/los estudios/la carrera
☐ ayudado a tener más éxito
☐ otro:_____

4. Este consejo provino de:

☐ padre   ☐ pastor   ☐ consejero
☐ amigo   ☐ pariente   ☐ escritor/conferencista
☐ otro: _____

la sesión de hoy

1. ¿Cuáles son algunas de las maneras en que Dios comunicó creativamente su mensaje en la Biblia?

2. Hoy Dios nos habla principalmente por medio de cuatro fuentes:

   1. _____

   2. _____

   3. _____

   4. _____

3. ¿Cómo puedes prepararte para escuchar a Dios?

4. En este mundo plagado de apurones, multitudes y ruidos, para oír a Dios, tienes que hacerte el propósito de buscarlo:

5. ¿Por qué es tan importante la confesión?

6. ¿Cuál es la señal precisa que determina si el mensaje que estás recibiendo o sintiendo *no* proviene de Dios?

7. ¿Qué papel desempeñan los demás al confirmarte que lo que has oído es de verdad de Dios?

Aprendamos del relato

En grupos de 6–8 personas colocadas en forma de herradura; elegir una respuesta y explicar por qué se eligió.

1. ¿Cuál es la fuente que entiendes mejor cuando Dios te habla? Márcala con ✓ ¿Y la que menos entiendes? Márcala con X.

   ☐ la Biblia   ☐ el Espíritu Santo
   ☐ las circunstancias   ☐ otras personas

2. ¿Cuál es el mayor obstáculo que te impide escuchar a Dios?

   ☐ falta de quietud—No puedo detenerme.
   ☐ falta de soledad—No me gusta estar solo/a.
   ☐ falta de silencio—No estoy acostumbrado a estar callado.

3. Un área de tu vida en la que deseas escuchar a Dios es:

   ☐ física:_____
   ☐ emocional:_____
   ☐ espiritual:_____
   ☐ de relación:_____
   ☐ financiera:_____
   ☐ vocacional:_____
   ☐ otra:_____

lecciones para cambiar mi vida

¿Cómo puedes aplicar esta sesión a tu vida?

Escribe aquí tus respuestas.

1. ¿Tienes suficiente "margen" en tu horario para poder pasar un tiempo de calidad a solas con Dios?

2. ¿Cuál sería una buena hora (día/hora) para tener al menos 30 minutos sin interrupciones en esta semana para encontrarte con Dios?

3. ¿Qué tendrías que hacer, en sentido práctico, para que en esta semana puedas encontrarte a solas con Dios?

4. ¿Cómo te sientes cuando estás en tu hogar y hay silencio?

5. ¿Cómo reaccionarías a esta cita de Dallas Willard sobre eludir el silencio?

"El silencio es aterrador porque nos deja como ninguna otra cosa... Piensa en lo que dice sobre el vacío interno de nuestra vida si siempre tenemos que prender la grabadora o la radio para asegurarnos de que suceda algo a nuestro alrededor".[1]

Ministración

(15-20 minutos)

MINISTRACIÓN

Permanecer en grupos de 6-8 personas colocadas en forma de herradura.

Dediquen ahora unos momentos a orar unos por otros. Ora para sobreponerte al mayor obstáculo de poder oír a Dios (tal como se debatió en la pregunta 3 de "Aprendamos del relato"). Ora por estos asuntos y por los de la lista de oración y alabanza.

Sé específico al orar para que Dios te guíe a invitar a alguien para que la semana que viene se siente en la silla desocupada.

Para terminar, dale las gracias a Dios por haberlos reunido como grupo. Pídele que te ayude a pasar más tiempo con Él y a crecer espiritualmente.

Referencias

APUNTES DEL ESTUDIO BÍBLICO

Usa estos apuntes para comprender mejor el texto que has estudiado por tu cuenta.

1 SAMUEL 3:1

El joven Samuel ministraba a Jehová en presencia de Elí. En 1 Samuel se habla de la milagrosa concepción de Samuel por parte de Ana, que era estéril, y de cómo ella lo dedicó al Señor. Cuando Ana desteta a su hijo, lo deja al cuidado del sacerdote Elí, quien lo prepararía para servir a Dios en el templo. La mayoría de los comentaristas están de acuerdo con que Samuel tenía al menos unos doce años cuando esto sucedió.

y la palabra de Jehová escaseaba en aquellos días; no había visión con frecuencia. Durante el período de los jueces y anterior al llamado de Samuel había pocas personas que recibían revelaciones directas de Dios.

1 SAMUEL 3:3

y antes que la lámpara de Dios fuese apagada. Esto nos habla de una lámpara de oro que estaba en el lugar santísimo del templo. La frase indica que la noche estaba avanzada pero aún no era el amanecer. Dejar que la lámpara se apagase antes de la mañana constituía una trasgresión a las reglas que un sacerdote debía cumplir.

1 SAMUEL 3:7

Y Samuel no había conocido aún a Jehová. Los conocimientos que Samuel tenía acerca de Dios y la adoración y el servicio a Dios eran, con seguridad, genuinos porque se los impartía Elí. Esta frase implica que hasta ese momento Samuel no había tenido una experiencia directa con Dios, tal como una revelación, (Fíjate en la similitud de cuando Dios le habla a Moisés en la zarza ardiente.) La última parte del versículo 7 ("ni la palabra de Jehová le había sido revelada") nos lo clarifica.

1 SAMUEL 3:9

Habla, Jehová, porque tu siervo oye. Samuel se identifica como un siervo, y le hace saber a Dios que se encuentra tranquilo para recibir y someterse a su mensaje.

1 SAMUEL 3:11

a quien la oyere, le retiñirán ambos oídos. La forma de actuar de Dios captará la atención de quien oiga hablar de ella.

1 SAMUEL 3:13

por la iniquidad que él sabe. En 1 Samuel 2 se revela que los hijos adultos de Elí, que trabajaban en forma activa en el templo, "no tenían conocimiento de Jehová" (v. 12). "Menospreciaban las ofrendas de Jehová" (v. 17), y "dormían con las mujeres que velaban a la puerta del tabernáculo de reunión" (v. 22). El capítulo 2 revela que Elí se había dado cuenta de estos actos impíos y les había advertido a sus hijos, pero sin hacerlos responsables ni disciplinarlos. Los hijos de Elí ignoraron las advertencias.

1 SAMUEL 3:14

la iniquidad de la casa de Elí no será expiada jamás, ni con sacrificios ni con ofrendas. Dios ya había tomado una decisión y ninguna ceremonia o rito la cambiaría. Años más tarde Samuel le declararía al rey Saúl: "¿Se complace Jehová tanto en los holocaustos y víctimas, como en que se obedezca a las palabras de Jehová? Ciertamente el obedecer es mejor que los sacrificios, y el prestar atención que la grosura de los carneros" (1 Sam. 15:22).

1 SAMUEL 3:18

haga lo que bien le pareciere. Aunque las consecuencias serían dolorosas para él como sacerdote y padre, Elí se da cuenta de que Dios estaba en pleno derecho de actuar de acuerdo a su perfecta soberanía.

1 SAMUEL 3:19

Jehová estaba con él, y no dejó caer a tierra ninguna de sus palabras. Dios se aseguró de que todas las palabras y proclamaciones de Samuel fueran fidedignas. Debido a esto, Samuel fue reconocido como profeta que hablaba la palabra de Dios.

---

[1] Dallas Willard, *The Spirit of the Disciplines* (*El espíritu de las disciplinas*, San Francisco: Harper Press, 1988), 163.

apuntes

Relacionémonos con la comunidad espiritual

Preparémonos para la sesión

	LECTURAS	PREGUNTAS DE REFLEXIÓN
Lunes	Hechos 2:42–43	¿Cuán importante es para ti y para tu crecimiento espiritual la predicación en tu iglesia?
Martes	Hechos 2:44–45	¿De qué modo te brindas con generosidad y sin egoísmo a los demás en tu iglesia y en tu comunidad?
Miércoles	Hechos 2:46	¿Cómo te hace sentir el compañerismo cristiano que tienes con los demás creyentes? ¿Has alentado alguna vez a otros?
Jueves	Hechos 2:47	Recuerda el día en que te transformaste en un cristiano y alaba a Dios esta semana por ese amor y esa aceptación inmerecidos.
Viernes	Romanos 12:10	¿Qué estás haciendo para honrar a los demás más que a ti mismo?
Sábado	Eclesiastés 4:9–12	¿Cuándo fue la última vez que ayudaste a un hermano en la fe? ¿A quién puedes ayudar hoy?
Domingo	Proverbios 27:17	¿Cómo avivas la fe de tus amigos cristianos?

ESTUDIO BÍBLICO • entender la prioridad bíblica de la comunidad espiritual
• entender los propósitos bíblicos de la comunidad espiritual
• entender los beneficios de la comunidad espiritual

CAMBIO DE VIDA • ponerse en marcha: Explora y luego comprométete a ser miembro de una iglesia local
• integrarse en un grupo pequeño: Comprométete a participar en un grupo pequeño y a tratar de contribuir con la salud y el crecimiento del grupo
• ser personal: Esta semana ponte en contacto con otro creyente y establece una relación personal en que cada uno sea responsable del otro

Rompehielos

(10-15 minutos)

NOS
REUNIMOS
En grupos
de 6–8
personas,
colocadas
en forma de
herradura.

Mi barrio. A cada uno se le dará una hoja blanca tamaño carta y un lápiz. Dibuja una vista aérea sencilla del barrio en que vivías cuando eras niño. Hazlo con líneas y cuadrados. Marca tu hogar con la inicial de tu apellido. Traza una línea entre tu casa y la de un vecino que haya sido importante para ti o tu familia. Después de completar el bosquejo, comparte con el grupo las siguientes respuestas.

1. ¿Cómo se llama la calle de tu bosquejo?

2. Muestra y explica en pocas palabras el bosquejo e identifica la casa del vecino.

3. ¿Qué había o tenía de especial y único tu barrio?

Información para recordar: En los espacios provistos anota la información que vas a necesitar, como parte de este grupo, en las próximas semanas:

PERSONAS:

1. Una persona a quien todavía no conozco:

2. Algo que podría hacer para conocer a esta persona:

EVENTOS: Un evento que se realizará y en el que quiero asegurarme de que participaré es _____. Será a la/s _____ (hora) el _____ (fecha) en _____ (lugar).

Y si tengo tiempo, me gustaría también participar en _____. Será a la/s _____ (hora) el _____ (fecha) en _____ (lugar).

Estudio bíblico

(30-45 minutos)

Pasaje bíblico para esta semana:

APRENDAMOS DE LA BIBLIA

HECHOS 2:42–47

⁴²Y perseveraban en la doctrina de los apóstoles, en la comunión unos con otros, en el partimiento del pan y en las oraciones. ⁴³Y sobrevino temor a toda persona; y muchas maravillas y señales eran hechas por los apóstoles. ⁴⁴Todos los que habían creído estaban juntos, y tenían en común todas las cosas; ⁴⁵y vendían sus propiedades y sus bienes, y lo repartían a todos según la necesidad de cada uno. ⁴⁶Y perseverando unánimes cada día en el templo, y partiendo el pan en las casas, comían juntos con alegría y sencillez de corazón, ⁴⁷alabando a Dios, y teniendo favor con todo el pueblo. Y el Señor añadía cada día a la iglesia los que habían de ser salvos.

...acerca de la sesión de hoy

PALABRAS DEL LÍDER

Escribe aquí tus respuestas.

1. ¿En qué se parecen un tarro de canicas de vidrio y un racimo de uvas?

2. ¿Cuál es la diferencia clave entre los dos?

3. La _____ de las relaciones en cualquier grupo determina si las personas se sentirán como una _____ de canicas de vidrio o _____ como en un racimo de uvas.

Identifiquémonos con el relato

En grupos de 6–8 personas colocadas en forma de herradura y explorar las preguntas mientras haya tiempo.

1. ¿Dónde tuviste la mejor experiencia de participar en una comunidad que cuida y protege a sus miembros como la que vemos en Hechos 2:42–47?

☐ en un grupo de la iglesia   ☐ en el trabajo
☐ en un equipo deportivo   ☐ en mi familia
☐ en un grupo de apoyo
☐ con los compañeros de la escuela
☐ en una fraternidad o club estudiantil
☐ en una organización de voluntarios
☐ en un ministerio/equipo misionero
☐ en un grupo que comparte un interés o afición
☐ No estoy seguro/a de haber experimentado el cuidado o protección de una comunidad.
☐ otro:_____

2. ¿Cómo te sientes al orar en voz alta con otras personas?

☐ Me pongo nervioso/a y pienso demasiado en cómo se me oirá.
☐ La sola mención del asunto me acelera el pulso.
☐ Si conozco bien a las personas, me siento bien.
☐ Disfruto del orar con y por otras personas.
☐ Creo que cuando oramos juntos Dios hace que suceda algo especial.
☐ Otro:_____

3. Esta antigua comunidad de fe era muy generosa al suplir las necesidades de sus miembros. ¿De qué forma te impacta el nivel de sacrificio y participación conjunta que tenían?

☐ Me parece semejante a un pueblo.

☐ La encuentro admirable, pero no me parece realista ni práctica hoy día.

☐ Me sorprende que una comunidad de fe —en vez del gobierno— supla las necesidades.

☐ Me parece fantástico. Me vendría bien algo de dinero en este momento.

☐ Soy muy independiente para participar de este tipo de cosas.

☐ Me gustaría que nuestra iglesia se convirtiera en algo parecido a eso para suplir las necesidades mutuas de nuestros miembros.

☐ Otro: _____

4. ¿Qué actividad de las que describe Hechos 2 de la comunidad espiritual desearías ver en desarrollo en tu iglesia o grupo?

☐ un estudio intensivo de la Palabra de Dios

☐ un apoyo espiritual y emocional

☐ una adoración sincera

☐ oraciones fervientes con y para los demás

☐ respuestas generosas a las necesidades prácticas

☐ un alcance positivo hacia quienes están fuera de la iglesia o el grupo

la sesión de hoy

1. Devoción = _____ + _____.

¿Qué te está enseñando Dios mediante este relato?

2. ¿De qué manera demuestra esta devoción la comunidad espiritual que describe Hechos 2?

3. ¿Qué propósitos tenía la comunidad espiritual?

Se alentaban para _____ la Palabra de Dios (v. 42— *"Y perseveraban en la doctrina de los apóstoles".*)

Se alentaban para participar de _____ (v. 42— *"en el partimiento del pan"*—esto se refiere a la ceremonia de la Cena del Señor; v. 46—*"Y perseverando unánimes cada día en el templo".*)

Se alentaban para participar en _____ (v. 42—
"Y perseveraban en… las oraciones". Fíjate que se refiere a
la oración corporativa, en conjunto, en grupos pequeños
o grandes donde se oraba con y por otros.)

Respondían a las _____ de sus miembros (vv.
44–45—" Todos los que habían creído estaban juntos, y tenían
en común todas las cosas; y vendían sus propiedades y sus
bienes, y lo repartían a todos según la necesidad de cada uno".)

Desarrollaban y _____ de sus relaciones (v. 42—
"Y perseveraban… en la comunión unos con otros"; v. 46—
"Comían juntos con alegría y sencillez de corazón".)

Atraían a los de _____ a la iglesia de Cristo y a
la comunidad espiritual (v. 47—"Teniendo favor con todo
el pueblo. Y el Señor añadía cada día a la iglesia los que
habían de ser salvos".)

4. Según el resumen de Eclesiastés 4:9–12 hecho por
Swindoll, ¿cuáles son los beneficios de una genuina
comunidad espiritual?

Obtienen un buen pago por su trabajo (v. 9).
Mutuo _____

Uno puede ayudar a su amigo (v. 10).
Mutuo _____

Pueden mantenerse cobijados (v. 11).
Mutuo _____

Pueden resistir al ataque (v. 12).
Mutuo _____

Aprendamos del relato

En grupos
de 6–8
personas
colocadas en
forma de
herradura;
elegir una
respuesta y
explicar por
qué se eligió.

1. A medida que comprendas que la devoción = compromiso
+ afecto, identifica una actividad a la que te dedicas con
devoción:

- ☐ un deporte
- ☐ mi trabajo
- ☐ trabajo voluntario
- ☐ servicio en la iglesia
- ☐ comer chocolate
- ☐ un pasatiempo
- ☐ navegar en la red de Internet
- ☐ ejercicio
- ☐ devocional personal
- ☐ otro:_____

2. (Esta pregunta es para meditarla de forma personal y no para debatirla.)

Al entender que la devoción = compromiso + afecto, ¿cómo calificarías tu devoción para con esta comunidad espiritual?

    1   2   3   4   5   6   7   8   9   10

  débil   moderada   intensa

¿Cuáles crees que son algunos de los factores que contribuyen al nivel presente de tu devoción para con esta comunidad espiritual?

3. A partir de los propósitos que se identifican en Hechos, ¿cuál crees que es hoy una virtud de esta comunidad espiritual? Márcala con ✓. ¿Cuál de estos propósitos te gustaría ver más aumentado en esta comunidad espiritual? Márcalo con **X**.

- ☐ alentar el estudio de la Palabra de Dios
- ☐ alentar la participación en la adoración
- ☐ alentar la participación en la oración
- ☐ responder de un modo práctico a las necesidades de los miembros
- ☐ desarrollar y disfrutar de las relaciones
- ☐ atraer a Cristo y a nuestro compañerismo cristiano a quienes están fuera de la comunidad espiritual

4. ¿Qué beneficios de la comunidad espiritual que se revelan en Eclesiastés te resultarían más útiles hoy?

- ☐ Obtener un buen pago por su trabajo (v. 9). Esfuerzo mutuo
- ☐ Uno puede ayudar a su amigo (v. 10). Apoyo mutuo
- ☐ Poder mantenerse cobijados (v. 11). Aliento mutuo
- ☐ Poder resistir al ataque (v. 12). Poder mutuo

lecciones para cambiar mi vida

¿Cómo puedes aplicar esta sesión a tu vida?

1. El punto principal de la aplicación de "Ponerse en marcha" es:

Escribe aquí tus respuestas.

2. ¿Qué recursos te ayudarán a explorar la membresía de una iglesia local?

3. El punto principal de la aplicación de "Integrarse a un grupo pequeño" es:

4. Dios quiere que tú contribuyas para que el grupo pequeño sea _____ y se _____ gracias a tu participación constante y auténtica y a tu _____.

5. El punto principal de la aplicación "Ser personal" es:

6. ¿Cuál es la responsabilidad mutua en cuanto a "escardar y alimentar"?

7. Si quisieras que el principio de responsabilidad mutua de "escardar y alimentar" se cumpliera en tu vida, ¿quién sería el candidato para establecer dicha relación?

Ministración

(15-20 minutos)

MINISTRACIÓN

Permanecer en grupos de 6-8 personas colocadas en forma de herradura.

Sigue el ejemplo de la iglesia primitiva descrita en Hechos 2, y dedícate a orar por los demás y por tus propios asuntos. Ora para que Dios te ayude a ser auténtico en tu vida cristiana. Acuérdate de orar por los asuntos de la lista de oración y alabanza.

Sé específico al orar para que Dios te guíe a invitar a alguien para que la semana que viene se siente en la silla desocupada.

Concluye en oración a Dios para que cada miembro agradezca las bendiciones que Él le ha dado.

Referencias

Usa estos apuntes para comprender mejor el texto cuando lo estudies tú solo.

APUNTES DEL ESTUDIO BÍBLICO

HECHOS 2:42

la doctrina de los apóstoles. La doctrina de los apóstoles sobre Jesús tenía autoridad y credibilidad ya que ellos habían sido testigos y seguidores de Cristo. Con toda probabilidad dicha doctrina incluía la recitación de las palabras y enseñanzas de Jesús (Mat. 28:20), el relato de su ministerio terrenal y de los milagros, y la crucifixión y la resurrección. El núcleo de esta doctrina era la proclamación del plan redentor de Dios para el hombre por medio de Jesucristo.

comunión. Koinonía, que era una de las palabras favoritas de Pablo, sólo aparece en esta ocasión en los escritos de Lucas. La palabra sugiere una relación íntima y única que los cristianos tenían con Dios y entre ellos.

partimiento del pan. Existe un debate considerable entre los eruditos con respecto a si se refiere a la Cena del Señor o a una comida más informal. Fíjate que los otros tres elementos mencionados en 2:42 (la doctrina de los apóstoles, la comunión y la oración) son actividades de carácter espiritual, lo cual implicaría que la cuarta también lo es. Por lo tanto, el contexto inmediato de la frase nos da la pauta para interpretar el "partimiento del pan" como una actividad de adoración en que se conmemora la Cena del Señor.

oraciones. Lucas las menciona en plural para indicar tanto oraciones formales como horas de oración establecidas por los líderes del templo de Jerusalén. Las formas tradicionales de oración eran reemplazadas con frecuencia por contenidos nuevos. Es más probable que esta comunidad de fe tan unida practicara con frecuencia una forma de oración más informal y espontánea. La mayoría de las referencias a la oración que se hacen en las epístolas dan a entender que se trata de una experiencia comunitaria y de expresiones de oración, más que de algo privado.

muchas maravillas y señales eran hechas por los apóstoles. Las señales y las maravillas que hacían los apóstoles al igual que los milagros de Jesús fueron: (1) por compasión y en respuesta a una necesidad; (2) para validar el mensaje y al mensajero (ver Mat. 9:6).

tenían en común todas las cosas. Esto da a entender que no hay una autoridad impuesta (como en el comunismo) para que las cosas se compartan. Las propiedades y las posesiones se vendían según la necesidad. Los sacrificios eran voluntarios y por generosidad.

perseverando unánimes cada día en el templo. Los primeros creyentes, sin desprenderse aún de la totalidad de su tradición judía, continuaban considerando el templo como el lugar donde acontecía su vida espiritual y social. Los creyentes gentiles, en consideración a las raíces judías del cristianismo, se sumaban a sus hermanos judíos.

partiendo el pan en las casas. Los hogares desempeñaban un papel muy significativo en la salud y el crecimiento de la iglesia primitiva. El partimiento del pan en este contexto da a entender una comida informal que se compartía en un ambiente amistoso.

teniendo favor con todo el pueblo. La comunidad espiritual ganó la admiración de los observadores. Fíjate que estos eran apenas los comienzos de la iglesia, anteriores a la persecución que sobrevendría poco después. Sin embargo, hay evidencias que muestran que ya había focos de persecución en esta etapa inicial de la iglesia. Esta generosidad de dar a "cada uno según su necesidad" incluye a aquellos que experimentaron la persecución y padecieron consecuencias económicas.

apuntes

Adoremos a Dios

Preparémonos para la sesión

	LECTURAS	PREGUNTAS DE REFLEXIÓN
Lunes	Juan 4:19–20	¿Dónde te parece que la adoración es más significativa?
Martes	Juan 4:21–22	¿Hasta qué punto conoces de verdad a Dios, aquel a quien adoras?
Miércoles	Juan 4:23–24	¿Qué significa para ti adorar a Dios "en espíritu y en verdad"?
Jueves	Juan 4:25–26	¿Qué te gustaría que te explicara Jesús?
Viernes	Éxodo 20:18–20	¿Qué función cumple el "temor a Dios" en tu adoración?
Sábado	Mateo 15:8–9	¿Honras a Dios sólo con los labios o también lo haces con el corazón?
Domingo	Apocalipsis 4:8–11	¿Cómo podría realzar la sinceridad de tu adoración esta visión de los cielos?

ESTUDIO BÍBLICO
- entender las definiciones de adoración
- entender lo que hace falta para adorar en espíritu y en verdad
- reconocer la importancia del equilibrio en el énfasis práctico del espíritu y la verdad

CAMBIO DE VIDA
- participar durante la semana en una adoración individual y bien meditada
- prepararse a fondo para la adoración en público por medio de un examen de conciencia
- vivir una vida de adoración con propósito

Rompehielos

(10-15 minutos)

NOS REUNIMOS En grupos de 6–8 personas, colocadas en forma de herradura.

Dos verdades y una mentira. De la lista que hay debajo completa dos de las oraciones con respuestas verdaderas y una con una respuesta falsa. Luego comparte tus "dos verdades y una mentira" con los otros miembros del grupo, que tratarán de identificar la mentira.

- Una de mis meriendas preferidas es: _____
- Una tienda de la que más me gustaría recibir un regalo es: _____
- La cosa más loca que hice ha sido: _____
- Mi grupo favorito de música cuando era adolescente: _____
- Mi primer auto fue: _____
- Mi película favorita de siempre es: _____
- Si pudiera irme de vacaciones iría a: _____
- Alguien famoso a quien me gustaría conocer es: _____

Información para recordar: En los espacios provistos anota la información que vas a necesitar, como parte de este grupo, en las próximas semanas:

1. Una persona del grupo (además del líder) de quien aprendí algo esta semana:

2. Una persona que me animó:

Estudio bíblico

(30-45 minutos)

Pasaje bíblico para esta semana:

4

APRENDAMOS DE LA BIBLIA

JUAN 4:19–26

¹⁹*Le dijo la mujer: Señor, me parece que tú eres profeta.* ²⁰*Nuestros padres adoraron en este monte, y vosotros decís que en Jerusalén es el lugar donde se debe adorar.*

²¹*Jesús le dijo: Mujer, créeme, que la hora viene cuando ni en este monte ni en Jerusalén adoraréis al Padre.* ²²*Vosotros adoráis lo que no sabéis; nosotros adoramos lo que sabemos; porque la salvación viene de los judíos.* ²³*Mas la hora viene, y ahora es, cuando los verdaderos adoradores adorarán al Padre en espíritu y en verdad; porque también el Padre tales adoradores busca que le adoren.* ²⁴*Dios es Espíritu; y los que le adoran, en espíritu y en verdad es necesario que adoren.*

²⁵*Le dijo la mujer: Sé que ha de venir el Mesías, llamado el Cristo; cuando él venga nos declarará todas las cosas.*

²⁶*Jesús le dijo: Yo soy, el que habla contigo.*

...acerca de la sesión de hoy

PALABRAS DEL LÍDER

Escribe aquí tus respuestas.

1. ¿Qué tipo de personas busca Dios hoy?

2. ¿Qué tipo de adoradores busca Dios?

Identifiquémonos con el relato

En grupos de 6–8 personas colocadas en forma de herradura y explorar las preguntas mientras haya tiempo.

1. ¿Alguna vez has creído o practicado algo, siendo desafiado por alguien con más experiencia en ese campo? De ser así, ¿cuál fue el campo?

☐ paternidad o maternidad   ☐ Dios
☐ salud/estado físico/nutrición   ☐ oración
☐ administración financiera   ☐ la Biblia
☐ asuntos referentes a una carrera   ☐ relaciones
☐ administración del tiempo   ☐ otro: _____

2. ¿Cómo reaccionaste ante el desafío?

☐ sorprendido/a   ☐ agradecido de inmediato
☐ reacio   ☐ agradecido a la larga
☐ cuestionando en silencio la autoridad y experiencia de la persona
☐ otro:_____

3. Nombra a alguien de renombre a quien hayas conocido (deportista, político, autor, conferencista, ejecutivo, animador, personaje famoso, etc.).

4. ¿Cómo te sentiste frente a esa persona?

☐ entusiasmado ☐ nervioso   ☐ insignificante
☐ humillado   ☐ especial   ☐ otro:

la sesión de hoy

¿Qué te está enseñando Dios mediante este relato?

1. ¿En qué se diferencian las palabras para adoración del Antiguo y del Nuevo Testamento?

2. ¿Qué significa "adorar en espíritu"?

3. Adorar con el corazón implica tener cualidades como:

4. ¿Qué significa "adorar en verdad"?

5. ¿Por qué es importante el equilibrio entre espíritu y verdad?

Aprendamos del relato

En grupos de 6–8 personas colocadas en forma de herradura; elegir una respuesta y explicar por qué se eligió.

<u>Adorar en espíritu</u>: (Responde estas tres preguntas en privado. Los participantes no tienen que compartir las respuestas.)

1. ¿Qué puntuación le darías a tu intimidad con Dios?
   1   2   3   4   5   6   7   8   9   10
2. ¿Y a tu sed de Dios?
   1   2   3   4   5   6   7   8   9   10
3. ¿Y a tu deleite en Dios?
   1   2   3   4   5   6   7   8   9   10

<u>Adorar en verdad</u>: (Responde estas preguntas y comparte las respuestas en los grupos pequeños.)

4. ¿Cuáles son los dos atributos de Dios que necesitas entender mejor en estos momentos?

   ☐ Dios es un espíritu personal—Puedo tener comunión personal con Él.

   ☐ Dios es todopoderoso—Puede ayudarme con todo.

   ☐ Dios está presente en todas partes—Siempre está conmigo.

   ☐ Dios lo sabe todo—Puedo acercarme a Él con todas mis preguntas y preocupaciones.

   ☐ Dios es soberano—Debo someterme a su voluntad con alegría.

   ☐ Dios es Santo—Debo consagrarme a Él en pureza, adoración y servicio.

   ☐ Dios es la verdad absoluta —Puedo creer en lo que dice y vivir de acuerdo a ello.

   ☐ Dios es recto—Debo vivir según sus reglas.

   ☐ Dios es justo—Siempre me tratará con justicia.

   ☐ Dios es amor—Está comprometido conmigo de forma incondicional.

   ☐ Dios es misericordioso—Perdona mis pecados cuando se los confieso con sinceridad.

   ☐ Dios es fiel—Puedo confiar en que cumplirá sus promesas.

   ☐ Dios nunca cambia—Mi futuro está seguro y es eterno.

5. Escribe en el margen un anuncio para Dios basado en el tipo de adorador que tú sabes que Él está buscando.

lecciones para cambiar mi vida

¿Cómo puedes aplicar esta sesión a tu vida?

Escribe aquí tus respuestas.

1. Nombra varias maneras en las que puedes participar con reflexión en adoraciones individuales.

2. ¿Qué implica prepararse a fondo para la adoración corporativa?

3. ¿Qué significa "vivir una vida de adoración"?

Ministración

(15-20 minutos)

MINISTRACIÓN

Permanecer en grupos de 6-8 personas colocadas en forma de herradura.

Comienza tu tiempo de oración alabando a Dios por los atributos que revelan su poder, conocimiento y capacidad para amar y aceptarnos. Haz que cada miembro ore para obtener el entendimiento necesario con respecto a las dos características que dicha persona mencionó en la pregunta 4 de la sección "Aprendamos del relato". Ora para que por gracia te conviertas en un adorador verdadero. Usa también la lista de oración y alabanza y ora por los asuntos mencionados.

Sé específico al orar para que Dios te guíe a invitar a alguien para que la semana que viene se siente en la silla desocupada.

Para terminar, haz que alguno de los participantes lea el Salmo 8.

Referencias

APUNTES DEL ESTUDIO BÍBLICO

Usa estos apuntes para comprender mejor el texto cuando lo estudies tú solo.

JUAN 4:19

me parece que tú eres profeta. Como Jesús era un extraño en la aldea, la mujer samaritana se dio cuenta de que lo que sabía de ella era un conocimiento obtenido de forma sobrenatural.

JUAN 4:20

Nuestros padres adoraron en este monte, y vosotros decís que en Jerusalén es el lugar donde se debe adorar. Debido al asombro de la samaritana ante el conocimiento de Jesús, quiso evitar el tema de su pasado y su vida actual. Quería desviar la conversación de Jesús

JUAN 4:20

hacia una controversia religiosa. En lugar de desviar el hilo del pensamiento de Jesús, lo que en realidad hizo fue darle un giro a la conversación y llevarla a donde quería Jesús. Alrededor del 400 a.C. los samaritanos construyeron un templo en el monte Gerizim porque creían que dicho monte era sagrado de forma especial por haber estado allí los altares de Abraham y Jacob. Además de eso, cuando Moisés exhortó y advirtió al pueblo antes de que entrara a la tierra prometida (Deut. 27:1–28:68), ordenó que las tribus se dividiesen, la mitad en el monte Ebal y la otra mitad en el monte Gerizim. En una lectura con responsorio, los de Gerizim pronunciarían las bendiciones de Dios mientras que los que estaban de pie en el monte Ebal debían recitar las maldiciones de Dios a causa de la desobediencia. Debido a eso, los samaritanos aseguraban que el monte Gerizim era el lugar favorecido para la adoración. Los judíos insistían en que la misión encomendada a Salomón de construir el templo en Jerusalén confirmaba que dicha ciudad debía ser el centro de adoración. La convicción y el rencor que tenían eran tan fuertes e intensos entre los samaritanos y judíos que más tarde estos destruirían el templo de Gerizim, lo que por supuesto, sólo sirvió para aumentar la hostilidad entre ambos grupos.

4

JUAN 4:21

ni en este monte ni en Jerusalén adoraréis al Padre. Jesús dio un rodeo a este debate histórico y elevó el asunto, haciendo que superara lo meramente geográfico.

JUAN 4:22

Vosotros adoráis lo que no sabéis. La Biblia samaritana contenía sólo el Pentateuco (Génesis, Éxodo, Levítico, Números, Deuteronomio) y por ende el conocimiento que ellos tenían de Dios era incompleto. Además, su adoración era impura porque muchos samaritanos habían incorporado a ella deidades extranjeras.
la salvación viene de los judíos. El Mesías sería judío.

JUAN 4:24

Dios es Espíritu. Si Dios tuviera cuerpo se lo podría confinar a un lugar, pero si es incorpóreo, tal como afirma Jesús, se lo puede adorar en cualquier parte.
los que le adoran, en espíritu y en verdad. El significado de esta frase se desarrolla poco en esta sesión.

JUAN 4:25

el Mesías... nos declarará todas las cosas. Aunque ella le otorgó a Jesús la categoría de profeta, consideró el asunto demasiado complicado e importante para aceptar con prontitud la interpretación de Jesús, y dio a entender que sólo el Mesías podría dar por concluido este asunto.

JUAN 4:26

Yo soy, el que habla contigo. Esta es la única ocasión antes del juicio en la que Cristo declara de forma abierta su mesianismo. El término no implicaba un peligro político en Samaria, como lo tendría en las regiones judías propiamente dichas. Esta confesión se da al comienzo del ministerio de Jesús, cuando Él aún no es bien conocido.

apuntes

Démosle a Dios

Preparémonos para la sesión

	LECTURAS	PREGUNTAS DE REFLEXIÓN
Lunes	Lucas 12:13–15	¿Cuán importante son para ti el dinero y las posesiones?
Martes	Lucas 12:16–19	¿Cuál es tu prioridad en la vida: tener más cosas o compartir tu abundancia con los demás?
Miércoles	Lucas 12:20–21	¿Qué te está diciendo Dios con respecto a tu actitud en relación con el dinero?
Jueves	Malaquías 3:8–10	¿Hasta qué punto estás dispuesto a confiar en que Dios suplirá tus necesidades?
Viernes	2 Corintios 8:1–5	En una escala de 1 (demasiado poco) a 10 (todo), ¿cuánto de ti le has dado a Dios?
Sábado	Juan 12:3–8	¿Qué te ayudaría a desarrollar una actitud de adoración y sacrificio hacia Dios cuando vas a la iglesia el domingo?
Domingo	Juan 3:16	Piensa cuánto te ama Dios y lo que sacrificó por ti.

5

ESTUDIO BÍBLICO
- reconocer que dar es una expresión de fidelidad a Dios
- entender que dar es un acto de adoración a Dios
- entender que dar es una expresión de gratitud a Dios
- aceptar que dar es una declaración de confianza en Dios

CAMBIO DE VIDA
- comprometernos y planear dar ofrendas y diezmos
- estar atentos a las oportunidades de dar con espontaneidad
- ser más generosos al dar, tanto de forma planeada como espontánea

Rompehielos

(10-15 minutos)

El regalo. Recuerda alguna ocasión en la que lleno de esperanza y satisfacción le diste a alguien un regalo que fue especial. El regalo que te llevó a experimentar esa gran satisfacción fue:

- ☐ una joya
- ☐ una obra de arte
- ☐ un juguete o algo divertido para un niño
- ☐ algo que hice
- ☐ algo personalizado
- ☐ algo raro
- ☐ una reliquia o tesoro de la familia
- ☐ un viaje
- ☐ entradas para un evento especial
- ☐ una fiesta sorpresa
- ☐ otro:_____

Información para recordar: En los espacios provistos anota la información que vas a necesitar, como parte de este grupo, en las próximas semanas:

PERSONAS:

1. La persona con la sonrisa más amplia hoy es:

2. Una persona que se ve algo preocupada y a quien debo acercarme después de la clase para ver qué le pasa es:

EVENTOS: Un evento que se realizará y en el que quiero asegurarme de que participaré es _____. Será a la/s _____ (hora) el _____ (fecha) en _____ (lugar).

Y si tengo tiempo, me gustaría también participar de _____. Será a la/s _____ (hora) el _____ (fecha) en _____ (lugar).

Estudio bíblico

(30-45 minutos)

APRENDAMOS DE LA BIBLIA

LUCAS 12:13-21

Pasaje bíblico para esta semana:

13Le dijo uno de la multitud: Maestro, di a mi hermano que parta conmigo la herencia.

14Mas él le dijo: Hombre, ¿quién me ha puesto sobre vosotros como juez o partidor? 15Y les dijo: Mirad, y guardaos de toda avaricia; porque la vida del hombre no consiste en la abundancia de los bienes que posee.

16También les refirió una parábola, diciendo: La heredad de un hombre rico había producido mucho. 17Y él pensaba dentro de sí, diciendo: ¿Qué haré, porque no tengo dónde guardar mis frutos?

18Y dijo: Esto haré: derribaré mis graneros, y los edificaré mayores, y allí guardaré todos mis frutos y mis bienes; 19y diré a mi alma: Alma, muchos bienes tienes guardados para muchos años; repósate, come, bebe, regocíjate.

20Pero Dios le dijo: Necio, esta noche vienen a pedirte tu alma; y lo que has provisto, ¿de quién será?

21Así es el que hace para sí tesoro, y no es rico para con Dios.

...acerca de la sesión de hoy

PALABRAS DEL LÍDER
Escribe aquí tus respuestas.

1. ¿En qué sentido la sesión de esta semana es una continuación de la anterior?

2. ¿Cuál es el "equipo" esencial en la adoración?

3. Existe una conexión entre el dinero y nuestra alma, porque Jesús dijo: "Porque donde esté vuestro tesoro, allí estará también vuestro _____" (Mat. 6:21; Luc. 12:34).

Identifiquémonos con el relato

En grupos de 6–8 personas colocadas en forma de herradura y explorar las preguntas mientras haya tiempo.

1. ¿Qué cuestión te distrae y te impide concentrarte hoy mientras participas en el grupo?

   ☐ Estoy pensando en todo lo que tengo que hacer la semana próxima.
   ☐ Estoy pensando en algo que deseo hacer hoy más tarde.
   ☐ Estoy molesto por algo.
   ☐ Estoy enfrentándome a una decisión.
   ☐ Estoy pensando en las cosas del trabajo.
   ☐ Estoy pensando en lo que sucede en mi familia.
   ☐ Otro: _____

2. Trata de recordar alguna ocasión en la que te llamaron para que fueses mediador. ¿Entre quiénes mediaste?

   ☐ compañeros de trabajo   ☐ clientes
   ☐ miembros de la familia   ☐ amigos
   ☐ miembros de la iglesia   ☐ niños
   ☐ otro:_____

3. Si heredaras 200.000 dólares, ¿cuál es la primera cosa que harías con ese dinero?

☐ viajar   ☐ invertir
☐ comprar o terminar de pagar una casa
☐ comprar el auto de tus sueños
☐ comprarle una tarjeta a tu jefe para decirle adiós
☐ hacer algo especial por _____
☐ reservar la mitad para los estudios de mis hijos
☐ otro: _____

4. Si decidieras que debes darle el diez por ciento de la herencia a una organización de caridad, iglesia o ministerio, ¿a quién se lo darías?

la sesión de hoy

5

¿Qué te está enseñando Dios mediante este relato?

1. ¿Cómo consigue la gente robarle a Dios?

2. ¿De qué manera dar es una expresión de fidelidad?

3. ¿Qué papel desempeña el mayordomo en los tiempos bíblicos?

4. ¿De qué forma dar es una expresión de adoración? ¿De qué manera la actitud del granjero que construyó un granero más grande es lo más opuesto a la adoración?

5. ¿Cómo se relacionan la generosidad y la gratitud? ¿De qué forma darle a Dios es una expresión de gratitud?

6. ¿Y una demostración de nuestra confianza?

Aprendamos del relato

Considera esta pregunta de forma personal y silenciosa.

1. ¿Cuál ha sido tu actitud sincera y personal sobre darle a Dios?

   ☐ Mi situación económica no me permite afrontarlo.
   ☐ Yo lo necesito más que Dios.
   ☐ Mira a tu alrededor, la iglesia tiene suficiente dinero.
   ☐ Cuando Dios me dé más, entonces comenzaré a dar.
   ☐ Doy automáticamente, sin pensar mucho en eso.
   ☐ He considerado que le doy a la iglesia en vez de a Dios.
   ☐ Sólo le estoy dando la propina al "mesero".
   ☐ Doy cuando mi economía me lo permite.
   ☐ Disfruto dándole a Dios.
   ☐ Otro: _____

Por medio de las siguientes preguntas, explora con el grupo lo que te dice el relato:

2. La parábola no condena el ahorro ni la inversión, ni tampoco los planes para disfrutar de la jubilación. A la luz de las enseñanzas de Jesús en este pasaje, ¿cómo podrías considerar y poner en práctica de un modo práctico la administración del dinero y dar con generosidad.

   ☐ como adoración y fidelidad a mi familia
   ☐ como un acto de adoración y necesidad práctica
   ☐ como un requisito espiritual y un medio de supervivencia
   ☐ como una manera de agradar a Dios y de proveer para mis necesidades
   ☐ otro:_____

3. ¿Cuál de las cuatro expresiones de darle a Dios te desafía o te inspira más? ¿Por qué?

   ☐ fidelidad   ☐ gratitud
   ☐ adoración   ☐ confianza

lecciones para cambiar mi vida

¿Cómo
puedes
aplicar esta
sesión a
tu vida?

Escribe
aquí tus
respuestas.

1. ¿De qué manera te anima esta sesión a aumentar tus ofrendas y diezmos?

   1a. Comprométete y pon en marcha un _____ para dar.

   1b. Sé sensible a las oportunidades de dar con _____.

   1c. Sé _____ al dar de modo planeado y espontáneo.

2. ¿Cuál es la diferencia entre dar de forma planeada y dar de forma espontánea?

3. ¿De qué manera puedes practicar el dar con espontaneidad?

4. ¿Qué monto específico o porcentaje crees que podrías comenzar a dar con alegría y regularidad?

5

Ministración

(15-20 minutos)

MINISTRACIÓN

Permanecer en grupos de 6-8 personas colocadas en forma de herradura.

Recuerda que este momento es para desarrollar y expresar el cariño y el cuidado mutuo y compartir los motivos de oración al orar por las necesidades de cada uno.

Colocados en círculo, oren por la persona que está a su derecha para que haga planes y se comprometa a darle a Dios con espontaneidad. Oren también para que cada persona encuentre un gozo creciente al darles a Dios y a los demás. Usen también la lista de oración y alabanza y oren por los asuntos mencionados. Comiencen así:

"Querido Dios, quiero hablar contigo sobre mi amigo/a _____".

Sean específicos al orar para que Dios los guíe a invitar a alguien para que la semana que viene se siente en la silla desocupada.

Referencias

Usa estos apuntes para comprender mejor el texto
cuando lo estudies tú solo.

APUNTES DEL ESTUDIO BÍBLICO

LUCAS 12:14

como juez o partidor. Como Jesús era rabino se le pidió que interviniera como mediador en una disputa que en este caso era un altercado familiar. Sin embargo, pedir un mediador era un pretexto disimulado y solapado para una defensa. Quien hablaba quería que Jesús se pusiera de su lado. Fíjate que el pedido interrumpe la disertación que Jesús estaba dando a la multitud sobre la persecución. Sin tener en consideración el tema que Jesús trataba, e interrumpiendo con rudeza su discurso, el hombre presentó su propio asunto, revelando el interés que tenía en las cuestiones materiales más que en las espirituales.

LUCAS 12:15

avaricia. Jesús señala el verdadero factor que se oculta detrás de la petición de justicia.
vida. La palabra griega, *zoe*, se refiere a la calidad de vida de una persona. En aquel entonces, igual que hoy día, se pensaba que la felicidad y el bienestar de una persona dependían de lo que se poseyera. Jesús rechaza por completo esto como norma para medir el valor de la vida de una persona.

LUCAS 12:16

había producido mucho. En el original griego hay un juego de palabras que se desarrolla en esta parábola. El hombre había tenido una *euforeo* ("buena cosecha"), y pensaba que ésta le traería *eufron* ("el deleite de una buena vida"—v. 19), sin embargo, Dios lo llama *afron* ("necio"—v. 20).

LUCAS 12:19

repósate, come, bebe y regocíjate. La intención del constructor era usar sus recursos para su propia gratificación. Era una manera de decir: "Puedo llegar a la meta final a partir de aquí". Su comentario revela su egoísmo y orgulloso sentido de seguridad.

LUCAS 12:20

vienen a pedirte tu alma. El texto griego dice: "ellos te requerirán", dando a entender quizás un acto angélico que se desencadenaría al terminar su vida. En este caso, está claro que la vida del hombre sería quitada por mandato de Dios.

lo que has provisto, ¿de quién será? Esto se puede interpretar de dos maneras: (1) La que demuestra la necedad de vivir para las cosas materiales, ya que en el momento de la muerte no le valdrán de nada a quien se haya aferrado de ellas. ¡No las podrá poseer a pesar de haberse consumido la vida tratando de obtenerlas! (2) La que propone señalar su soledad. Al elegir la riqueza como dios, se apartó de sus amigos y familia. No hay nadie cerca de él a quien le pueda dejar su herencia cuando muera. La avaricia aísla a las personas de las verdaderas relaciones humanas.

5

apuntes

6

Pasemos tiempo a diario con Dios

Preparémonos para la sesión

	LECTURAS	PREGUNTAS DE REFLEXIÓN
Lunes	Lucas 10:38–39	Piensa en algún momento en el que dejaste de lado las ocupaciones de la vida cotidiana para escuchar a Dios.
Martes	Lucas 10:40	¿Qué te impide pasar tiempo con Dios?
Miércoles	Lucas 10:41-42	¿Qué te ayuda a dejar de lado las preocupaciones y dedicarte a escuchar a Dios?
Jueves	Lucas 6:12–13	¿Cuánto tiempo pasas en oración antes de tomar decisiones importantes?
Viernes	Salmo 5:1–3	¿Qué oraciones anhelas que te responda Dios?
Sábado	Lucas 17:3–4	¿Necesitas perdonar a alguien como un acto de fe?
Domingo	Mateo 20:25–28	¿Cuánto oras por los demás?

6

ESTUDIO BÍBLICO
- entender el propósito principal de pasar tiempo diario con Dios
- entender la actividad principal del tiempo diario con Dios
- considerar la actividad secundaria vital del tiempo diario con Dios
- reconocer la necesidad tanto de reflexionar como de actuar

CAMBIO DE VIDA
- establecer un tiempo devocional en un lugar determinado para encontrarse con Dios a diario
- desarrollar un plan para oír a Dios a diario
- escribir en un diario las respuestas de lo que dice Dios
- buscar oportunidades de aumentar el tiempo a solas con Dios por medio de retiros personales

Rompehielos

(10-15 minutos)

**NOS
REUNIMOS
En grupos
de 6–8
personas,
colocadas
en forma de
herradura.**

Pon a tu amigo a trabajar. Un amigo te ha ofrecido ayudarte en los proyectos del fin de semana. ¿Cuál elegirías para que él lo hiciera?

☐ preparar una cena deliciosa para ocho
☐ plantar flores perennes en el jardín
☐ ayudarte a redecorar un cuarto
☐ construir e instalar estantes en el garaje
☐ organizar las cajas de fotografías en orden cronológico en un álbum de fotos con las tapas pintadas a mano
☐ cuidar de los niños y limpiar la casa mientras estás fuera el fin de semana
☐ otro:_____

Información para recordar: En los espacios provistos anota la información que vas a necesitar, como parte de este grupo, en las próximas semanas:

PERSONAS:

1. Una persona que está aquí a quien todavía no conozco:

2. Algo que podría hacer para conocer a esta persona:

EVENTOS: Un evento que se realizará y en el cual quiero asegurarme que participaré es _____. Será a la/s _____ (hora) el _____ (fecha) en _____ (lugar).

Y si tengo tiempo, me gustaría también participar en _____. Será a la/s _____ (hora) el _____ (fecha) en _____ (lugar).

Estudio bíblico

(30-45 minutos)

Pasaje bíblico para esta semana:

APRENDAMOS DE LA BIBLIA

LUCAS 10:38-42

38Aconteció que yendo de camino, entró en una aldea; y una mujer llamada Marta le recibió en su casa. 39Esta tenía una hermana que se llamaba María, la cual, sentándose a los pies de Jesús, oía su palabra. 40Pero Marta se preocupaba con muchos quehaceres, y acercándose, dijo: Señor, ¿no te da cuidado que mi hermana me deje servir sola? Dile, pues, que me ayude.

41Respondiendo Jesús, le dijo: Marta, Marta, afanada y turbada estás con muchas cosas. 42Pero sólo una cosa es necesaria; y María ha escogido la buena parte, la cual no le será quitada.

...acerca de la sesión de hoy

PALABRAS DEL LÍDER
Escribe aquí tus respuestas.

1. ¿Qué "cosas" podrían haber distraído a Marta para que no escuchara a Jesús? ¿Qué te distrae a ti?

2. ¿Con quién crees que Marta está más molesta: con Jesús o con María?

Identifiquémonos con el relato

En grupos de 6–8 personas colocadas en forma de herradura y explorar las preguntas mientras haya tiempo.

1. Describe brevemente un proyecto reciente en el que recibiste poco o nada de ayuda de los demás:

   ☐ planear una actividad   ☐ preparar una comida
   ☐ limpiar la casa   ☐ cuidar el césped
   ☐ una asignación laboral   ☐ lavar la ropa
   ☐ una mudanza   ☐ otro:_____

2. Su hubieras sido Marta, ¿qué crees que le habrías dicho a María?

   ☐ "Si yo cocino, a ti te toca limpiar".
   ☐ "Oye, ¿qué te parece si vienes a la cocina y dejas que yo me relaje un poco?"
   ☐ "María, ¿quieres que te lleve algo mientras tú estás sentada ahí sin hacer nada?"
   ☐ Otro:_____

3. Responde las siguientes preguntas sobre ti, y elige una respuesta de cada par.

   Soy más bien un: ☐ pensador   ☐ hacedor
   Durante las vacaciones
      me gusta: ☐ relajarme   ☐ la aventura
   Prefiero: ☐ leer   ☐ hablar
   Prefiero estar en: ☐ la playa   ☐ las montañas

la sesión de hoy

¿Qué te está enseñando Dios mediante este relato?

1. ¿Cuál es el propósito principal de pasar tiempo diario con Dios?

2. ¿De qué manera mostró Jesús dicho propósito?

3. ¿Cuál es la actividad principal del tiempo diario con Dios?

4. ¿Cuál es la principal fuente por medio de la cual nos habla Dios?

5. ¿Cuál es la actividad secundaria del tiempo diario con Dios?

6. ¿Cuál es una buena pregunta para hacerte cuando lees la Biblia?

7. En el Salmo 5, ¿qué dice el salmista que el Señor hace cada mañana?

8. Describe el equilibrio que —según Calvin Miller— se necesita tanto en las iglesias como en los individuos.

6

Aprendamos del relato

En grupos de 6–8 personas colocadas en forma de herradura; elegir una respuesta y explicar por qué se eligió.

1. Según el relato de María y Marta ¿dónde te ubicarías tú?

   María. . . . . Marta

2. El factor más importante que te impide tener una respuesta significativa y tiempo a solas con Dios es:

   ☐ Me cuesta levantarme temprano.
   ☐ Me olvido.
   ☐ Sé que lo debo hacer, pero no tengo un buen plan para organizarme el tiempo.
   ☐ Me resulta difícil detenerme y tener tiempo a solas con Dios.
   ☐ Me resulta difícil entender la Biblia.
   ☐ Otro:_____

3. La aseveración o el principio que has escuchado hoy y más te ha desafiado es:

lecciones para cambiar mi vida

¿Cómo puedes aplicar esta sesión a tu vida?

Escribe aquí tus respuestas.

1. Al identificar un lugar y un momento para encontrarte a diario con Dios debes buscar que el ambiente provea:

   a._____

   b._____

   c._____

2. El primer paso para planear un tiempo devocional es tener algún tipo de _____ para tu lectura de las Escrituras.

3. ¿Para qué sirve escribir o llevar un diario de lo que has discernido en las Escrituras y de tus respuestas?

4. ¿Cuál es el propósito de los retiros espirituales?

ORACIÓN DE COMPROMISO

"Señor Jesús, te necesito. Me doy cuenta de que soy pecador y no puedo salvarme a mí mismo. Necesito de tu misericordia. Creo que eres el Hijo de Dios, que has muerto en la cruz por mis pecados, y que resucitaste. Me arrepiento de mis pecados y deposito mi fe en ti como Señor y Salvador. Controla mi vida, y ayúdame a seguirte en obediencia. En el nombre de Jesús. Amén".

Ministración

(15-20 minutos)

MINISTRACIÓN

Permanecer en grupos de 6-8 personas colocadas en forma de herradura.

Para terminar, ora por los demás. Pídele a Dios que te ayude a ti y a la otra persona que está a tu izquierda a buscar un tiempo personal más profundo para estar con Dios. Pídele a Dios que abra tu corazón para que lo oigas cuando te hable. Además de eso, ora por los asuntos de la lista de oración y alabanza.

Sean específicos al orar para que Dios los guíe a invitar a alguien para que la semana que viene se siente en la silla desocupada.

Referencias

Usa estos apuntes para comprender mejor el texto
cuando lo estudies tú solo.

**LUCAS
10:38**

una aldea. Betania quedaba bastante cerca de las afueras de Jerusalén (ver Juan 11:1).
Marta. La hermana de María y de Lázaro, a quien Jesús resucitaría más tarde.

**LUCAS
10:39**

María. Más adelante veremos a María ungiendo a Jesús con un perfume muy costoso mientras cenaba en su hogar en Betania (Juan 12:1–8).

**LUCAS
10:40**

¿no te da cuidado...? Marta no sólo estaba enfadada con su hermana María por no ayudarla, sino que también acusó a Jesús de ser insensible a sus necesidades porque ella necesitaba ayuda en la cocina y Él, en vez de eso, le había permitido a María sentarse a sus pies. Fíjate en que las Escrituras registran otra queja de Marta en contra de Jesús en Juan 11 cuando tiene lugar la muerte de Lázaro: "Señor, si hubieses estado aquí, mi hermano no habría muerto" (Juan 11:21). Sin embargo, para ser justos con Marta, debemos señalar que a la queja le sigue de inmediato una declaración de fe: "Mas también sé ahora que todo lo que pidas a Dios, Dios te lo dará" (Juan 11:22).

6

**LUCAS
10:42**

Pero sólo una cosa es necesaria. Esta frase puede llevar al lector a una conclusión equivocada al pensar que el resto del versículo significa que María eligió lo único que era necesario, y que no le sería quitado.
María ha escogido la buena parte, la cual no le será quitada. Jesús aprecia el trabajo arduo y la hospitalidad de Marta, pero quiere enseñar un principio del discipulado: Pasar tiempo con Dios adorándolo y aprendiendo precede incluso al servicio.

apuntes

7

Cómo estudiar la
Palabra de Dios

Preparémonos para la sesión

	LECTURAS	PREGUNTAS DE REFLEXIÓN
Lunes	Proverbios 2:1–5	¿Qué "tesoros escondidos" has encontrado en la Biblia, la Palabra de Dios?
Martes	Proverbios 2:6	¿Qué sabiduría espiritual necesitas hoy en tu vida?
Miércoles	2 Timoteo 3:16–17	¿De qué manera permites que la Palabra de Dios te enseñe, reprenda, corrija y capacite?
Jueves	2 Timoteo 2:15	¿Cuándo te has sentido avergonzado por tu conocimiento limitado de la Palabra de Dios?
Viernes	Romanos 12:1–2	Piensa de qué manera cambia o moldea el conocimiento de la Palabra tu forma de pensar.
Sábado	Salmo 119:33–37	¿En qué área de tu vida necesitas pedirle a Dios que te enseñe y te dé entendimiento?
Domingo	Salmo 143:5–6	¿Cuánto anhela de Dios tu alma?

ESTUDIO BÍBLICO
- reconocer el valor del estudio bíblico personal
- entender el doble propósito del estudio bíblico personal
- enterarse de los métodos, principios y herramientas para el estudio bíblico personal

CAMBIO DE VIDA
- estudiar la Palabra de Dios como un periodista
- estudiar la Palabra de Dios como un detective
- estudiar la Palabra de Dios como un atleta

Rompehielos

(10-15 minutos)

**NOS
REUNIMOS
En grupos
de 6–8
personas,
colocadas
en forma de
herradura.**

Aturdimiento escolar. ¿Te dejaron aturdido tantos años de escuela? Responde por orden a las preguntas que ves a continuación y comparte un poquito de tus experiencias académicas.

1. ¿Cuál fue tu materia preferida en la secundaria?

2. ¿Cuál fue la que menos te gustó?

3. ¿Quién fue tu maestro o profesor preferido?

4. Si en estos momentos pudieras asistir a una clase en la universidad, ¿en qué materia te inscribirías?

Información para recordar: En los espacios provistos anota la información que vas a necesitar, como parte de este grupo, en las próximas semanas:

1. Una persona que está aquí y con quien de verdad necesito hablar es:

2. Una persona que está aquí que creo que necesita recibir más atención y afecto es:

3. Una persona a quien deseo conocer mejor es:

Estudio bíblico

(30-45 minutos)

Pasaje bíblico para esta semana:

¹*Hijo mío, si recibieres mis palabras,*
  Y mis mandamientos guardares dentro de ti,
²*Haciendo estar atento tu oído a la sabiduría;*
  Si inclinares tu corazón a la prudencia,
³*Si clamares a la inteligencia,*
  Y a la prudencia dieres tu voz;
⁴*Si como a la plata la buscares,*
  Y la escudriñares como a tesoros,
⁵*Entonces entenderás el temor de Jehová,*
  Y hallarás el conocimiento de Dios.
⁶*Porque Jehová da la sabiduría,*
    Y de su boca viene el conocimiento y la inteligencia.

7

...acerca de la sesión de hoy

PALABRAS DEL LÍDER

Escribe aquí tus respuestas.

1. ¿Cómo se aplica el concepto educativo de "estudio directo" al estudio bíblico personal?

2. ¿Durante cuánto tiempo debemos ser "estudiantes" de la Palabra de Dios?

Identifiquémonos con el relato

En grupos de 6–8 personas colocadas en forma de herradura y explorar las preguntas mientras haya tiempo.

1. Cuando yo era chico a mi padre le gustaba darme consejos sobre: (Si no tuviste padre en la niñez piensa en alguien que fuera como un padre para ti.)

   ☐ escuela/notas   ☐ trabajo/carrera
   ☐ asuntos espirituales   ☐ amistades
   ☐ el sexo opuesto /tener novio/a   ☐ dinero
   ☐ aspecto personal   ☐ otro:

2. Por tener autoridad y sabiduría, mi padre fue para mí más como un:

   ☐ entrenador/mentor   ☐ juez
   ☐ predicador   ☐ administrador
   ☐ filósofo   ☐ otro:_____

3. Una cosa que mi padre me dijo y que ha quedado conmigo durante todos estos años es:

la sesión de hoy

1. ¿Cuál es el valor del estudio bíblico personal?

¿Qué te está enseñando Dios mediante este relato?

2. ¿Cuáles son los dos propósitos del estudio bíblico personal?

3. Como el primer paso es tener un plan, ¿puedes nombrar algunos métodos de estudio bíblico personal?

   Estudio _____: Elige una palabra o frase para estudiarla en profundidad.
   Estudio _____: Elige un tema de interés o que te preocupe.
   Estudio _____: Elige a un personaje bíblico para estudiarlo de forma especial.

Estudio _____: Examina con detenimiento un capítulo aislado de las Escrituras.

Estudio _____: Concéntrate en el estudio de uno de los libros de la Biblia, tratando de entender a su autor, al público, el propósito, el tono y el alcance o fluir de los temas.

4. ¿Cuáles son los principios clave para el estudio bíblico personal?

   a. Saber la _____

   b. Obtener el _____

   c. Conocer las _____ del versículo

5. A continuación tenemos una lista de algunas herramientas para el estudio bíblico personal que fueron presentadas en esta sesión.

   ° Biblia ° Diccionario bíblico
   ° Concordancia ° Biblia con comentarios
   ° Enciclopedias bíblicas ° Costumbres y hábitos bíblicos

Aprendamos del relato

En grupos de 6–8 personas colocadas en forma de herradura; elegir una respuesta y explicar por qué se eligió.

7

1. ¿Cómo hiere a otros y también a nosotros mismos no manejar de forma adecuada la palabra de verdad (2 Tim. 2:15)?

2. ¿Cuál es el asunto o tema que te gustaría entender mejor?

3. ¿Cuál de estos tres temas de estudio bíblico te parece más beneficioso para equiparte en el estudio de la Palabra de Dios por tu cuenta?

   ☐ Estudio de los métodos ☐ Estudio de los principios
   ☐ Estudio de las herramientas

¿Cómo
puedes
aplicar esta
sesión a
tu vida?

Escribe
aquí tus
respuestas.

lecciones para cambiar mi vida

1. ¿De qué manera podrías estudiar la Palabra de Dios como un periodista?

2. ¿Qué significa realizar un estudio de la Palabra de Dios como un detective?

3. ¿Qué propósito tendría estudiar como un atleta?

Ministración

(15-20 minutos)

Oren unos por los otros y también por sus cosas propias. Pídele a Dios que le dé a cada miembro del grupo perseverancia para desarrollar un plan para el estudio bíblico personal para que le lleve a tener mayor conocimiento de Él y que influya en su vida. Usa también la lista de oración y alabanza, y ora por los asuntos mencionados.

Sé específico al orar para que Dios te guíe a invitar a alguien para que la semana que viene se siente en la silla desocupada.

Concluye con el momento de oración leyendo las palabras del salmista en el Salmo 119:10-16:

> 10Con todo mi corazón te he buscado;
>> No me dejes desviarme de tus mandamientos.
> 11En mi corazón he guardado tus dichos,
>> Para no pecar contra ti.
> 12Bendito tú, oh Jehová;
>> Enséñame tus estatutos.
> 13Con mis labios he contado
>> Todos los juicios de tu boca.
> 14Me he gozado en el camino de tus testimonios
>> Más que de toda riqueza.
> 15En tus mandamientos meditaré;
>> Consideraré tus caminos.
> 16Me regocijaré en tus estatutos;
>> No me olvidaré de tus palabras.

MINISTRACIÓN

Permanecer
en grupos de
6-8 personas
colocadas en
forma de
herradura.

Referencias

Usa estos apuntes para comprender mejor el texto
cuando lo estudies tú solo.

**PROVERBIOS
2:1**

recibieres mis palabras. Salomón declara con esperanza que su hijo confiará en sus enseñanzas. Idea clave: Atención.

mis mandamientos guardares dentro de ti. Esta es la esperanza de que su hijo valorará sus enseñanzas, las mantendrá, protegerá y recordará. Una paráfrasis moderna podría decir así: "Espero que no desperdicies estas enseñanzas ni que las archives por ahí en una carpeta, sino que las tengas a mano donde puedas verlas y recordarlas". Idea clave: Retención.

**PROVERBIOS
2:2**

atento tu oído a la sabiduría. Elige escuchar la instrucción sabia. Lo compara con 2 Timoteo 4:3–5. Idea clave: Selección.

inclinares tu corazón a la prudencia. Dedícate a entender y no tan sólo a escuchar. Idea clave: Reflexión.

**PROVERBIOS
2:3**

Si clamares a la inteligencia y a la prudencia. La sabiduría se debe pedir y buscar con afán (ver Santiago 1:5).

**PROVERBIOS
2:4**

como a la plata la buscares y la escudriñares como a tesoros. Ni la plata ni los tesoros escondidos se encuentran en la superficie. Ambos deben desenterrarse. En el versículo 3 el énfasis está en el deseo y el esfuerzo.

**PROVERBIOS
2:5**

entenderás el temor a Jehová. En Proverbios 1:7, Salomón declara que "El principio de la sabiduría es el temor de Jehová". El temor al Señor comienza por conocerlo a Él. Muy relacionado con esto está la reverencia a Dios, expresada en el reconocimiento de su santidad y poder, y demostrada en la sujeción a su voluntad. Este reconocimiento de la suprema autoridad de Dios es la base de un pensamiento sabio y un vivir correcto.

**PROVERBIOS
2:6**

Jehová da la sabiduría. Como Dios posee todo el conocimiento, es sabio en su totalidad y correcto en todas las cuestiones. Además de eso, Dios se goza al impartir su sabiduría a aquellos que desean recibirla (ver Santiago 1:5). A Dios le complació en sumo grado que Salomón, entre todos los dones y bendiciones que Él le ofrecía, decidiera pedirle su sabiduría divina (2 Crón. 1:7–12; 2:12).

7

apuntes

Meditemos y memoricemos
la Palabra de Dios

Preparémonos para la sesión

	LECTURAS	PREGUNTAS DE REFLEXIÓN
Lunes	Salmo 119:97	¿Has meditado en las Escrituras alguna vez durante todo un día? ¿Cuánto tiempo diario le sueles dedicar a la meditación de las Escrituras?
Martes	Salmo 119:98	¿De qué manera los mandatos de Dios te hacen más sabio que tus enemigos?
Miércoles	Salmo 119:99–100	¿Hasta qué punto estás familiarizado con los testimonios y los mandamientos de Dios?
Jueves	Salmo 119:101–102	¿Has tenido alguna vez la experiencia de que Dios mismo te enseñase algo? ¿Cómo te diste cuenta?
Viernes	Salmo 119:11–16	Piensa en una situación en la que los hechos fundamentados en la Biblia te vinieron a la mente y te ayudaron.
Sábado	1 Pedro 3:15–16	¿Cuándo has usado las Escrituras para ayudar a alguien?
Domingo	Proverbios 22:17–18	¿Cuánto has memorizado de las Escrituras? ¿Cómo te podría ayudar eso a agradar a Dios?

8

ESTUDIO BÍBLICO
- entender los conceptos errados de la meditación bíblica, así como su verdadero significado
- darnos cuenta del valor de meditar en la Palabra de Dios
- reconocer la resistencia a la memorización de la Palabra de Dios, así como su valor

CAMBIO DE VIDA
- practicar los cinco métodos de las Escrituras
- memorizar esta semana uno o dos versículos nuevos de las Escrituras por medio de diez estrategias

Rompehielos

(10-15 minutos)

Librería. En tu oficina se cortó el suministro eléctrico y tu jefe te ha dado libre el resto del día. Hace mucho frío afuera y decides ir a tomar un café a la librería que está cerca y quedarte a hojear unos libros por un par de horas. ¿En qué dos secciones de la librería pasarías la mayor parte del tiempo?

☐ ficción	☐ liquidaciones/gangas
☐ historia	☐ religión/inspiración
☐ revistas	☐ matrimonio/crianza de los hijos
☐ biografía	☐ literatura clásica
☐ deportes	☐ psicología/autoayuda
☐ poesía	☐ finanzas personales
☐ libros para niños	☐ arte/manualidades
☐ humor	☐ otro:_____
☐ carrera/administración/liderazgo	

Información para recordar: En los espacios provistos anota la información que vas a necesitar, como parte de este grupo, en las próximas semanas:

1. Alguien que suele estar aquí pero que esta semana se ha ausentado:

2. ¿Qué podría hacer para ayudar a que esta persona se dé cuenta de que la extrañamos:

Estudio bíblico

(30-45 minutos)

Pasaje bíblico para esta semana:

97¡Oh, cuánto amo yo tu ley!
   Todo el día es ella mi meditación.
98Me has hecho más sabio que mis enemigos con
      tus mandamientos,
   Porque siempre están conmigo.
99Más que todos mis enseñadores he entendido,
   Porque tus testimonios son mi meditación.
100Más que los viejos he entendido,
   Porque he guardado tus mandamientos;
101De todo mal camino contuve mis pies,
   Para guardar tu palabra.
102No me aparté de tus juicios,
   Porque tú me enseñaste.

...acerca de la sesión de hoy

PALABRAS DEL LÍDER

1. Examina el índice de este libro y haz una lista breve de los temas que se relacionan con el uso de las Escrituras.

8

Escribe aquí tus respuestas.

2. ¿Por qué la sugerencia de meditar y memorizar las Escrituras tiene una recepción tan fría por parte de muchos cristianos?

Identifiquémonos con el relato

En grupos de 6–8 personas colocadas en forma de herradura y explorar las preguntas mientras haya tiempo.

1. Además de la Biblia, nombra un libro (que sea o no de ficción) que te gustaría tener si estuvieras abandonado en una isla remota. ¿Por qué lo elegirías?

2. Si mientras estás allí abandonado sólo pudieras usar un libro de la Biblia, ¿cuál elegirías? Explica por qué en pocas palabras.

3. Al autor de los versículos de estudio de esta semana parece apasionarle este tema de la Palabra de Dios. ¿Cómo te cae eso a ti?

   ☐ El salmista no debe de tener otras cosas para leer.
   ☐ Ojalá obtuviera tanto de la Biblia cuando la leo.
   ☐ Si él tiene tiempo para meditar, entonces debe tener más tiempo del que yo tengo.
   ☐ He descubierto hace poco el poder de la Palabra de Dios.
   ☐ Parece que aplica lo que sabe. Yo, sin embargo, sé muchísimo pero no lo pongo en práctica.
   ☐ Otro:_____

la sesión de hoy

¿Qué te está enseñando Dios mediante este relato?

1. ¿En qué se diferencian los propósitos de la meditación oriental y la cristiana?

2. ¿Cuáles son algunos de los conceptos errados sobre la meditación cristiana?

3. ¿Cuál es el punto principal de la ilustración del saquito de té de Whitney?

4. ¿Cuáles son algunos de los beneficios prácticos de la meditación bíblica tal como lo revela el Salmo 119:98–101?

5. ¿Qué cuatro ventajas tiene la memorización bíblica tal como se presenta en esta sesión?
   a. Me ayuda a resistir la _____.
   b. Me ayuda a tomar _____ _____.
   c. Me _____ y _____ cuando me enfrento a la adversidad.
   d. Me ayuda a darles ánimo a los demás y a _____ a los inconversos.

Aprendamos del relato

En grupos de 6–8 personas colocadas en forma de herradura; elegir una respuesta y explicar por qué se eligió.

(Las tres siguientes preguntas son para debatir en grupo.)
1. ¿Qué objeción a los conceptos errados sobre la meditación cristiana te ayudó más?

2. ¿Cuál de los cuatro beneficios de la memorización bíblica presentados en esta sesión te ayudó más?
   ☐ Me ayuda a resistir la tentación.
   ☐ Me ayuda a tomar decisiones sabias.
   ☐ Me alienta y fortalece cuando me enfrento a la adversidad.
   ☐ Me ayuda a darles ánimo a los demás y a testificarles a los inconversos.

3. ¿Qué idea, principio, mandato o pasaje de las Escrituras encontraste más inspirador o desafiante?

(Esta última pregunta es para considerarla sólo de forma individual.)

4. Usa la analogía del saquito de té de Whitney: Si la riqueza de la ingesta bíblica igualara el cuerpo del té, ¿de qué color sería?

   ☐ color canela   ☐ transparente como el agua
   ☐ pastel clarito   ☐ color café
   ☐ color miel   ☐ otro:_____

8

lecciones para cambiar mi vida

¿Cómo puedes aplicar esta sesión a tu vida?

Escribe aquí tus respuestas.

1. Anota cinco maneras de meditar sobre los pasajes bíblicos:

   a. _____

   b. _____

   c. _____

   d. _____

   e. _____

2. Anota diez estrategias eficaces para la memorización bíblica:

   a. Elige un versículo que sea _____ para ti.

   b. Di la _____ antes y después del versículo.

   c. Lee el versículo _____ varias veces.

   d. Divide los versículos largos en secciones por _____.

   e. Enfatiza las _____ cuando recites el versículo.

   f. Escribe el versículo en una _____.

   g. Lleva las tarjetas contigo para _____.

   h. Mantén los versículos en lugares _____.

   i. Ponles _____ a los versículos y cántalos.

   j. Válete de algún sistema de _____ que sea práctico.

3. ¿Cuántos versículos bíblicos se recomiendan que se aprendan al principio?

Ministración

(15-20 minutos)

MINISTRACIÓN

Permanecer en grupos de 6-8 personas colocadas en forma de herradura.

Dediquen ahora unos momentos a ministrarse unos a otros por medio de la oración. Que cada persona ore por quien está a su derecha. Pregúntale a esa persona si ha disfrutado memorizando y meditando la Palabra de Dios. Además, ora por los asuntos de la lista de oración y alabanza. Comienza la oración de esta manera:

"Querido Dios, quiero hablar contigo acerca de mi amigo/a _____".

Sé específico al orar para que Dios te guíe a invitar a alguien para que la semana que viene se siente en la silla desocupada.

Referencias

Usa estos apuntes para comprender mejor el texto
cuando lo estudies tú solo.

SALMO 119:97

ley. La ley abarca las enseñanzas morales y éticas del Antiguo Testamento. El salmista sólo contaba con la ley del Antiguo Testamento, pero los cristianos tenemos "la perfecta ley, la de la libertad" (Santiago 1:25).

SALMO 119:99

testimonios. Un testimonio o un decreto se parece a una norma legal y obligatoria, una ley.

SALMO 119:100

los viejos. La palabra hebrea para *viejos* significa literalmente "los que tienen barbas" quizá una referencia a la edad, experiencia y sabiduría. Su función era actuar como jueces en asuntos legales y como líderes en cuestiones militares.
he guardado tus mandamientos. Un mandamiento da la pauta para una conducta, un principio de vida.

SALMO 119:102

tú me enseñaste. Aunque el salmista se beneficiaba de las enseñanzas de los maestros educadores devotos, no dependía tan sólo de escuchar o estudiar dichas interpretaciones. Él también estudiaba la Palabra por sí mismo, permitiéndole al Espíritu de Dios que fuera su maestro.

8

apuntes

Apliquemos la Palabra de Dios a nuestra vida

Preparémonos para la sesión

	LECTURAS	PREGUNTAS DE REFLEXIÓN
Lunes	Mateo 7:24–27	¿Sobre qué has edificado tu vida?
Martes	Santiago 1:22	¿Eres oidor o hacedor de la Palabra de Dios?
Miércoles	Santiago 1:23–25	¿Cuándo te olvidas de hacer lo que Dios te ha dicho que hagas?
Jueves	Mateo 5:21–26	¿Con qué frecuencia te enojas o no perdonas a otros creyentes? ¿Hay alguien a quien necesites perdonar hoy?
Viernes	Mateo 5:33–37	¿Cuánto confían los demás en tu palabra?
Sábado	Mateo 6:25–33	¿Es tu fe más grande que todas tus preocupaciones? ¿Por qué sí o por qué no?
Domingo	Romanos 12:9–13	Después de haber leído estos versículos, ¿qué es lo que Dios te pide que hagas hoy por Él?

9

ESTUDIO BÍBLICO
- entender los propósitos supremos de las Escrituras, las revelaciones de Dios que encontramos en la Biblia
- reconocer los pasos que llevan a la aplicación de las Escrituras
- darnos cuenta de los beneficios de aplicar las Escrituras

CAMBIO DE VIDA
- plantear las preguntas de PAPÁ ME VEO al leer las Escrituras
- seleccionar una o dos respuestas de las más importantes o urgentes a PAPÁ ME VEO
- hacer que la aplicación personal sea tan práctica como sea posible por medio de las respuestas a las "preguntas del periodista"

Rompehielos

(10-15 minutos)

**NOS
REUNIMOS
En grupos
de 6–8
personas,
colocadas
en forma de
herradura.**

La casa de mis sueños. Por turno haz que cada persona del grupo elija tres elementos, de los enumerados a continuación, que le gustaría tener en la casa de sueños.

- ☐ un porche cubierto bastante grande para poner una mecedora
- ☐ un dormitorio enorme con techos abovedados, chimenea y tragaluces
- ☐ un jardín grande con un césped perfecto
- ☐ un baño con un jacuzzi enorme
- ☐ una piscina en el jardín
- ☐ una construcción hecha de ladrillo o piedra
- ☐ un garaje para dos automóviles y un sótano bien arreglado
- ☐ un porche con vistas a un lote tranquilo y arbolado
- ☐ una sala amplia, ideal para fiestas
- ☐ techos abovedados en la entrada con una lámpara decorativa
- ☐ un cuarto extra para una sala de juegos o estudio
- ☐ otro:_____

Información para recordar: En los espacios provistos anota la información que vas a necesitar, como parte de este grupo, en las próximas semanas:

1. Una persona que está aquí y con quien de verdad necesito hablar es:

2. Una persona que está aquí y que creo que necesita recibir más atención y afecto es:

Estudio bíblico

(30-45 minutos)

Pasaje bíblico para esta semana:

24Cualquiera, pues, que me oye estas palabras, y las hace, le compararé a un hombre prudente, que edificó su casa sobre la roca. 25Descendió lluvia, y vinieron ríos, y soplaron vientos, y golpearon contra aquella casa; y no cayó, porque estaba fundada sobre la roca. 26Pero cualquiera que me oye estas palabras y no las hace, le compararé a un hombre insensato, que edificó su casa sobre la arena; 27y descendió lluvia, y vinieron ríos, y soplaron vientos, y dieron con ímpetu contra aquella casa; y cayó, y fue grande su ruina.

22Pero sed hacedores de la palabra, y no tan solamente oidores, engañándoos a vosotros mismos. 23Porque si alguno es oidor de la palabra pero no hacedor de ella, éste es semejante al hombre que considera en un espejo su rostro natural. 24Porque él se considera a sí mismo, y se va, y luego olvida cómo era. 25Mas el que mira atentamente en la perfecta ley, la de la libertad, y persevera en ella, no siendo oidor olvidadizo, sino hacedor de la obra, éste será bienaventurado en lo que hace.

...acerca de la sesión de hoy

1. En Mateo 7:24-27 Jesús compara dos tipos de constructores. ¿Qué diferencia hay entre las construcciones y qué implica cada una?

2. Las dos palabras clave de la sesión de hoy son: _____ e _____.

Identifiquémonos con el relato

En grupos de 6–8 personas colocadas en forma de herradura y explorar las preguntas mientras haya tiempo.

1. ¿Cuál de todas las afirmaciones ilustra mejor el nivel tormentoso del tiempo (estrés) que sentiste la semana pasada?

☐ Gotas de agua cayendo sobre mi cabeza.
☐ El tiempo era tempestuoso; las circunstancias me perturbaban.
☐ Lo único que tenía era la luz del sol.
☐ Uichi, uichi, subí a la telaraña, vino el viento y me zarandeó, vino la tormenta y me bajó.
☐ Estuve cantando bajo la lluvia.
☐ Me golpeó como un huracán fuerte.

2. ¿Cuál fue una de las experiencias más estresantes a la que te enfrentaste el año pasado?

☐ la muerte de un ser querido   ☐ mudanza
☐ separación o divorcio
☐ cambio significativo en una situación laboral
☐ aumento de la insatisfacción y la presión laboral
☐ enfermedad del o los padre (s)
☐ retos con el o los hijo (s)
☐ bajón en las finanzas
☐ problemas de salud
☐ otro:_____

3. ¿Qué recurso te ayudó de forma significativa a lidiar con el estrés o el agravio?

☐ amigo (s) cercano (s)   ☐ iglesia
☐ la Palabra de Dios   ☐ música edificante
☐ consejero   ☐ grupo de apoyo
☐ pastor   ☐ miembro (s) de la familia
☐ proyecto/tarea   ☐ oración
☐ otro:_____

la sesión de hoy

¿Qué te está enseñando Dios mediante este relato?

1. ¿Cuáles son los dos propósitos principales de las Escrituras?

2. Mateo 7:24–27 no está comparando a los cristianos con los que no lo son, sino que compara a los _____ con los _____.

3. Los pasos para la aplicación son:

   a. _____, no tan sólo descubrirla *"Mas el que mira atentamente en la perfecta ley, la de la libertad".*

   b. _____, no sólo de vez en cuando *"y persevera en ella, no siendo oidor olvidadizo".*

   c. _____, no tan sólo guardarla *"sino hacedor de la obra".*

   d. _____, no tan sólo preocupaciones *"éste será bienaventurado en lo que hace".*

Aprendamos del relato

En grupos de 6–8 personas colocadas en forma de herradura y elegir una respuesta y explicar por qué se eligió.

(El siguiente contenido es para considerarlo sólo de forma personal y no se deben compartir las respuestas.)

9

1. ¿Sobre qué asunto te ha hablado Dios por medio de su Palabra y tú te has resistido o lo has postergado? ¿Por qué lo hiciste?

(Las siguientes preguntas son para debatirlas en los grupos pequeños.)

2. Elige tu analogía favorita de la siguiente lista: "Oír/leer la Palabra de Dios sin aplicarla es como..."

☐ vestirse bien para no ir a ningún lado.
☐ obtener folletos de viaje de una agencia y nunca ir a ninguna parte.
☐ leer libros sobre el ejercicio con pesas pero nunca ir a un gimnasio.
☐ convertirse en un experto en acciones y bonos pero no sacar nunca el dinero del colchón.
☐ ser un estratega militar y jugar con los soldaditos de los niños.
☐ leer un mapa de carreteras pero nunca ir de viaje.
☐ graduarse en medicina y trabajar en una cafetería.

3. ¿Por qué es tu analogía favorita? ¿Qué te dice?

4. ¿Qué lección de vida has aprendido de la peor manera? Dicho con otras palabras, describe brevemente un momento de tu vida en que experimentaste las consecuencias de conocer la verdad de Dios y no aplicarla a dicho asunto.

5. ¿Cuál de los cuatro "pasos para la aplicación" fue el más inspirador o desafiante para ti?

☐ Análisis, no tan sólo descubrirla
☐ Continuidad, no tan sólo de vez en cuando
☐ Puesta en práctica, no tan sólo guardarla
☐ Bendición, no tan sólo preocupaciones

6. ¿Qué pasaje de las Escrituras, afirmación, principio o idea fue el más útil para ti?

¿Cómo
puedes
aplicar esta
sesión a
tu vida?

Escribe
aquí tus
respuestas.

lecciones para cambiar mi vida

Acá tienes algunos ejercicios útiles para pasar de leer u oír la Palabra de Dios a aplicarla:

1. Hazte las preguntas de PAPÁ ME VEO cuando leas las Escrituras. Mira con atención el pasaje y pregúntate: Hay algún...

   P _____ que confesar
   A _____ que cambiar
   P _____ que reclamar
   A _____ para agradecer o adorar a Dios (motivo)

   M_____ que obedecer
   E _____ que subsanar

   V _____ en que creer
   E _____ para seguir
   O _____ para hacer

2. Escoge una o dos de las respuestas más importantes o apremiantes de la lista de respuestas de PAPÁ ME VEO.

3. Haz que la aplicación personal sea lo más práctica posible y contesta las "preguntas del periodista". Formula una aplicación más concreta y un plan de acción por medio de las siguientes preguntas:

   ¿_____? ¿Qué debo hacer específicamente con este asunto?

   ¿_____? ¿A quién involucra?

   ¿_____? ¿Cuándo debo actuar?

   ¿_____? ¿En qué situación debo aplicarlo?

   ¿_____? ¿Por qué debo tomar medidas?

   ¿_____? ¿Cuál es la mejor manera de proceder?

9

Ministración

(15-20 minutos)

Permanecer en grupos de 6-8 personas colocadas en forma de herradura.

Dedica unos momentos a orar por los otros y por tus propias preocupaciones. Oren para que cada persona presente aplique esta semana la Palabra de Dios, usando los ejercicios propuestos, que resultan muy útiles. Usen también la lista de oración y alabanza para orar por los asuntos mencionados.

Sé específico al orar para que Dios te guíe a invitar a alguien para que la semana que viene se siente en la silla desocupada.

Referencias

Usa estos apuntes para comprender mejor el texto
cuando lo estudies tú solo.

APUNTES DEL ESTUDIO BÍBLICO

MATEO 7:24

edificó su casa sobre la roca. Esto no significa que la casa se construyó sobre la superficie de una roca, sino que los cimientos fueron puestos en lo profundo y firme del terreno rocoso (ver v. 25b).

MATEO 7:25

Descendió lluvia, y vinieron ríos, y soplaron vientos. No hay necesidad de analizar por separado los simbolismos de la lluvia, el río y el viento, ya que es una simple metáfora exagerada de los inevitables problemas, crisis y presiones de la vida que probarán la calidad de la construcción.

MATEO 7:26

un hombre insensato, que edificó su casa sobre la arena. La precipitación de las aguas pudo erosionar con facilidad las débiles arenas que circundaban el cimiento inseguro, y la estructura entera estaba expuesta a que se cayera o destruyera. El constructor insensato pensó sólo en el presente, mientras que el constructor sabio tuvo en cuenta el futuro y una construcción maciza.

SANTIAGO 1:22

engañándoos a vosotros mismos. No te engañes al pensar que con sólo oír la Palabra es suficiente y que con eso se gana el favor especial de Dios. En realidad, hay una responsabilidad mayor para con nosotros depositada sobre aquellos que han oído más, que sobre los que no han oído. Si el oír no se combina con la acción, podrían estar en una posición tan vulnerable como la del hombre insensato descrito en Mateo 7:26-27.

es semejante al hombre que considera en un espejo su rostro natural... y luego olvida cómo era. El espejo nos ayuda a vernos y hacer las correcciones o ajustes (ver 2 Tim. 3:16–17). El verbo griego *katanoeo* no significa mirar de forma apresurada como sugieren algunos. Más bien, denota una observación atenta. El hombre estudia su rostro con atención y adquiere un conocimiento completo de sus facciones, tal como el hombre que con cuidado oye, lee y estudia las Escrituras y luego tiene un completo entendimiento de la enseñanza y es responsable de su conocimiento.

mira atentamente. La palabra griega es *parakypto*. Es la misma palabra que se usa para describir la acción de agacharse y fijar la mirada en la tumba de Jesús (Juan 20:5). De esa manera, el hombre sabio miró las Escrituras para examinarlas con detenimiento.

la perfecta ley. Las enseñanzas morales y éticas del cristianismo (ver Sal. 19:7).

la de la libertad. Al obedecer la Palabra de Dios nos liberamos de la esclavitud del pecado (ver Juan 8:34; Rom. 6:6; Gál. 4:7). Santiago también se vale de una ironía en la que a la ley se la suele considerar como algo restrictivo para la conducta. Sin embargo, Santiago insiste en que la ley perfeccionada por Jesús (ver Mat. 5:17) nos da libertad (ver Mat. 11:28–30; 23:1–4).

éste será bienaventurado en lo que hace. Habrá resultados positivos debido a la obediencia, en vez de consecuencias negativas debido a la postergación o la desobediencia (ver Gál. 6:7–9).

9

apuntes

Vivamos en el
poder del Espíritu

Preparémonos para la sesión

	LECTURAS	PREGUNTAS DE REFLEXIÓN
Lunes	Gálatas 5:16	¿Cuán difícil es para ti vivir por el Espíritu?
Martes	Gálatas 5:17	¿Con qué frecuencia haces cosas que no deberías hacer? ¿Te das cuenta de que el Espíritu Santo te insta a que no lo hagas?
Miércoles	Gálatas 5:18-21	¿Hay en tu vida algunos de estos "actos de la naturaleza pecadora"?
Jueves	Gálatas 5:22-23	¿Cuán grande es la cosecha del "fruto" que tú estás cultivando?
Viernes	Gálatas 5:24-25	¿Qué puede distraerte de tu andar en el Espíritu?
Sábado	Romanos 8:26–27	Piensa en esto durante la semana: El Espíritu Santo te ayuda e intercede ante Dios por ti.
Domingo	Efesios 5:15–18	¿Cuán cauteloso eres en tu modo de vivir?

10

ESTUDIO BÍBLICO
- comprender la identidad del Espíritu Santo
- darnos cuenta de las actividades y los ministerios del Espíritu Santo
- darnos cuenta de la lucha por el control sobre nuestra vida y conducta
- comprender el significado de ser llenos del Espíritu Santo

CAMBIO DE VIDA
- buscar ser llenos del poder del Espíritu Santo cada día
- llevar a cabo durante el día la práctica de "respirar espiritualmente"
- al acostarnos reflexionar sobre lo sucedido durante el día

Rompehielos

(10-15 minutos)

**NOS
REUNIMOS
En grupos
de 6–8
personas,
colocadas
en forma de
herradura.**

Camina conmigo. En cada una de estas dos posibilidades identifica la que prefieres.

caminar sobre la nieve.	caminar por la playa al amanecer
escalar un camino de montaña.	pasear por un centro comercial
ir a una marcha política	participar en una caminata de beneficencia
recorrer un museo	ir a un parque de diversiones
ir a una fábrica de chocolate	ir a una fábrica de autos
cruzar por un puente con pilotes sobre el agua	cruzar sobre un puente colgante
ir por la tarde a una heladería	ir por la mañana a una cafetería
subir una larga escalinata.	bajar por un sendero empinado

Información para recordar: Completa las oraciones que siguen mientras observas a las personas que hoy están aquí.

1. Si tuvieras que darle un premio a la persona con la mejor sonrisa esta semana sería:

2. Una persona a quien le pondrías una sonrisa en su rostro por medio de una palabra de aliento o un abrazo sería:

Estudio bíblico

(30-45 minutos)

Pasaje bíblico para esta semana:

APRENDAMOS DE LA BIBLIA

GÁLATAS 5:16–25

16Digo, pues: Andad en el Espíritu, y no satisfagáis los deseos de la carne. 17Porque el deseo de la carne es contra el Espíritu, y el del Espíritu es contra la carne; y éstos se oponen entre sí, para que no hagáis lo que quisiereis. 18Pero si sois guiados por el Espíritu, no estáis bajo la ley.

19Y manifiestas son las obras de la carne, que son: adulterio, fornicación, inmundicia, lascivia, 20idolatría, hechicerías, enemistades, pleitos, celos, iras, contiendas, disensiones, herejías, 21envidias, homicidios, borracheras, orgías, y cosas semejantes a estas; acerca de las cuales os amonesto, como ya os lo he dicho antes, que los que practican tales cosas no heredarán el reino de Dios.

22Mas el fruto del Espíritu es amor, gozo, paz, paciencia, benignidad, bondad, fe, 23mansedumbre, templanza; contra tales cosas no hay ley. 24Pero los que son de Cristo han crucificado la carne con sus pasiones y deseos.

25Si vivimos por el Espíritu, andemos también por el Espíritu.

10

...acerca de la sesión de hoy

PALABRAS DEL LÍDER

Escribe aquí tus respuestas.

1. En la Biblia caminar es una metáfora que se suele usar para describir _____.

2. ¿Cuáles son las dos distorsiones de la gracia que confronta Gálatas?

　1. _____

　2. _____

Identifiquémonos con el relato

En grupos de 6–8 personas colocadas en forma de herradura y explorar las preguntas mientras haya tiempo.

1. Pablo dice que nuestro espíritu y la naturaleza pecadora están en conflicto. El Espíritu dice: "Quiero *esto*", mientras que la naturaleza pecadora dice: "No, quiero *esto*". De la siguiente lista, elige un ejemplo para describir dicho conflicto en tu vida.

   ☐ Es como un combate de boxeo, y al Espíritu le van contando por ocho.

   ☐ Es como un combate de boxeo, y últimamente el Espíritu tiene a mi naturaleza pecadora contra las cuerdas.

   ☐ Es como una competición en la que los dos equipos tiran de los extremos de una cuerda, y yo soy la cuerda.

   ☐ Es como un debate presidencial, no hay ganadores seguros.

   ☐ Es como una lucha libre profesional, y mi naturaleza pecadora hace trampas a lo loco y se sale con la suya.

   ☐ Otro: _____

2. Mi respuesta a la lista de los actos de mi naturaleza pecadora:

   ☐ No dejaría que entrara en mi país alguien que ha hecho todo esto.

   ☐ Es por la gracia de Dios que estoy aquí.

   ☐ Recuerdo haber hecho algo de eso antes de ser cristiano.

   ☐ ¿De verdad piensa Dios que el odio, los celos y las ambiciones egoístas son tan malos como las orgías y la brujería?

   ☐ Desearía que Dios clasificara los pecados de acuerdo a su medida de la maldad.

   ☐ Esta lista no incluye mis problemas más importantes.

   ☐ Otro: _____

3. Mi respuesta a la lista del fruto del Espíritu:

   ☐ ¡Uy, debe haber alguna falla en el cultivo de mi huerto!

   ☐ Me faltan algunos sabores en mi ensalada de frutas.

   ☐ Podría usar algo de fertilizante para que crecieran mis árboles.

   ☐ Algunos de mis frutos deben estar fuera de temporada.

   ☐ Estoy disfrutando del descubrimiento de un sabor en particular.

   ☐ Esta lista es complicada, ¿estás seguro de que no se trata de las verduras del Espíritu?

   ☐ Otro: _____

la sesión de hoy

¿Qué te está
enseñando
Dios
mediante
este relato?

1. Hay tres indicadores de que el Espíritu Santo es una persona y no una fuerza: La presencia de _____, _____ y _____.

2. Fíjate en estas verdades adicionales sobre el Espíritu Santo.

   Nos guía a la _____ (Juan 16:13).

   Nos convence de _____ (Juan 16:8).

   Realiza _____ (Hechos 8:39).

   Se le debe _____ (Hechos 10:19–21).

   Se le puede _____ (Hechos 5:3).

   Puede ser _____ (Hechos 7:51).

   Él _____ (Rom. 8:26).

   Se le puede _____ (Ef. 4:30).

   Puede ser _____ (Heb. 10:29).

   Él da _____ (1 Cor. 12:7–11).

3. ¿Cuál es la alternativa de ser llenos del Espíritu Santo?

4. ¿De qué manera el principio de sustitución se relaciona con ser llenos del Espíritu Santo?

5. ¿De qué manera comparamos estar llenos de vino con el ser llenos del Espíritu Santo?

10

6. ¿Cuál es la evidencia de ser llenos del Espíritu Santo?

7. ¿Cuál es la aplicación del ejemplo de la impresora predeterminada?

Aprendamos del relato

En grupos de 6–8 personas colocadas en forma de herradura; elegir una respuesta y explicar por qué se eligió.

1. Antes de la sesión, ¿cuál de las siguientes afirmaciones describen mejor tu percepción del Espíritu Santo?

   ☐ una fuerza misteriosa ☐ una fuerza espiritual
   ☐ una persona divina ☐ una presencia sobrenatural
   ☐ una influencia positiva ☐ otro: _____

2. ¿Cuál de las siguientes manifestaciones del fruto del Espíritu preferirías ver desarrollándose en tu vida en estos momentos?

   ☐ amor ☐ gozo ☐ paz
   ☐ paciencia ☐ bondad ☐ mansedumbre
   ☐ fe ☐ benignidad ☐ templanza

3. Usa este gráfico del medidor de gasolina de un vehículo para marcar cuán lleno estás del Espíritu Santo durante estos días.

   V_____1/4_____1/2_____ 3/4_____L

4. ¿Qué pasaje bíblico, principio, idea o ilustración de esta sesión fue más significativa para ti?

lecciones para cambiar mi vida

¿Cómo puedes aplicar esta sesión a tu vida?

Escribe aquí tus respuestas.

1. ¿Por qué debes comenzar cada día volviéndote a llenar del Espíritu Santo?

2. ¿Qué pasos incluye el "exhalar"?

3. ¿Qué incluye el "inhalar"?

4. ¿Por qué debes reflexionar sobre tu día?

UNA ORACIÓN MODELO PARA SER LLENOS DEL ESPÍRITU SANTO

Querido Dios, necesito ayuda. Me doy cuenta y te confieso que no estoy andando en tu Espíritu, y que actúo y reacciono de forma equivocada. Estoy tratando de vivir según mis fuerzas y el fruto del Espíritu no se nota en mi carácter. Lo siento. Perdóname. Despójame de mi naturaleza pecadora y lléname de tu Santo Espíritu. A pesar de mis sentimientos, acepto por fe la gracia de tu perdón y el regalo de tu presencia, que mora en mí. En el nombre de Jesús. Amén.

Ministración

(15-20 minutos)

MINISTRACIÓN

Permanecer en grupos de 6-8 personas colocadas en forma de herradura.

Terminen compartiendo las peticiones de oración y orando unos por otros. Oren para que los miembros tengan una cosecha abundante del fruto del Espíritu, lo suficiente como para compartirla con aquellos con quienes se encuentren. Ora, además, por los asuntos de la lista de oración y alabanza.

Ora de forma específica para que Dios te guíe a invitar a alguien para que la semana que viene se siente en la silla desocupada.

Concluye el momento de oración por medio de la lectura del Salmo 51:10-12

> ¹⁰*Crea en mí, oh Dios, un corazón limpio,*
> *Y renueva un espíritu recto dentro de mí.*
> ¹¹*No me eches de delante de ti,*
> *Y no quites de mí tu santo Espíritu.*
> ¹²*Vuélveme el gozo de tu salvación,*
> *Y espíritu noble me sustente.*

10

Referencias

Usa estos apuntes para comprender mejor el texto
cuando lo estudies tú solo.

**GÁLATAS
5:16**

Andad en el Espíritu. El modo del verbo andar indica una acción que se realiza de forma habitual. Vivir de continuo, momento a momento, por el impulso y el poder del Espíritu Santo.
los deseos de la carne. En el momento en el que un pecador confía en Cristo para salvación, su identidad y destino eternos se transforman de inmediato. Las conductas viejas, sin embargo, están bien arraigadas y se resisten a someterse a la voluntad y al carácter de Dios.

**GÁLATAS
5:17**

para que no hagáis lo que quisiereis. La naturaleza pecadora te impide hacer lo bueno que deseas hacer (Rom. 7:15–16).

**GÁLATAS
5:18**

sois guiados por el Espíritu. Ver Romanos 8:13-14.
no estáis bajo la ley. Para obtener la salvación y la santificación no estamos bajo la atadura de tratar de ganar la aprobación de Dios por medio de normas y de una lista de leyes que parece interminable.

**GÁLATAS
5:19-21**

Pablo clasifica las acciones de la naturaleza pecadora (o las obras de la carne) en cuatro áreas: pecados sexuales, pecados espirituales, pecados sociales y pecados de beber alcohol. Fíjate que la lista de inmoralidades y virtudes era de uso común entre los maestros de moralidad, entre ellos los escritores bíblicos (1 Cor. 13:4–7; 2 Cor. 6:1–10, 8:1–7; Ef. 4:1–10; Fil. 4:8–9; Col. 3:12–17; 1 Tim. 6:6–8; 2 Tim. 3:2–4; 2 Ped. 1:5–8). Las listas no son una lista de verificación legal, ni tampoco pretenden ser exhaustivas. Las listas tienen contextos específicos. Esto significa que dichas listas consideran algunos asuntos o necesidades especiales entre las personas para quienes fueron escritas.

**GÁLATAS
5:19**

adulterio, fornicación, inmundicia y lascivia. (pecados sexuales) Inmoralidad sexual = conductas sexuales que se practican entre personas que no están casadas, fornicación, o entre casados, adulterio; inmundicia = inmoralidad anormal tal como la homosexualidad; lascivia = bajeza de decoro abierta, imprudente y desvergonzada.

**GÁLATAS
5:20-21**

idolatría, hechicerías. (pecados espirituales) Idolatría = cualquier cosa, fuera de Dios, que reciba adoración; hechicerías = participar en actividades de poderes malignos.
enemistades, pleitos, celos, iras, contiendas, disensiones, herejías, envidias. (pecados sociales) Pablo considera esta área más en detalle con respecto a las demás. Fíjate en los versículos (Gál. 5:15,26) que encierran el pasaje central de la sesión. (No se definen los pecados sociales, ya que están bien aclarados.)

GÁLATAS **5:20-21**	*borracheras, orgías, y cosas semejantes a estas.* (pecados de beber) Borracheras = estado de ebriedad con sus respectivas conductas; orgías = conducta degenerada e irrestricta.
GÁLATAS **5:21**	*los que practican tales cosas.* El verbo griego *prasso* da a entender una práctica habitual, no algo ocasional, *poieo.* *no heredarán el reino de Dios.* El hábito de estos pecados es la prueba de que la persona no está en el reino de Dios y tampoco lo heredará.
GÁLATAS **5:22-23**	*el fruto de Espíritu.* Lo opuesto a estas conductas de la naturaleza pecadora o de los deseos de la carne es hacer uso del "fruto", lo que implica cierta pasividad, haciendo énfasis en que el resultado de dicha cualidad es de origen divino. Como dijo alguien: "Si escuchas bien de cerca no oirás ningún naranjo gruñendo para tratar de producir naranjas". La vida que fluye del árbol produce el fruto. Ten en cuenta el mismo principio de unión entre Jesús y el Padre que vemos en Juan 15:5.
	Mas el fruto del espíritu es amor, gozo, paz, paciencia, benignidad, bondad, fe, mansedumbre, templanza. Aunque estas palabras son muy significativas, los términos son bastante claros, y por ende no se los define ni describe con más detalle aquí. *contra tales cosas no hay ley.* Es una declaración demasiado modesta usada con propósitos retóricos. Mientras que la ley se dio para restringir la maldad, las conductas que se reflejan en el fruto del Espíritu no necesitan restricción.
GÁLATAS **5:24**	*han crucificado la carne* Actuamos basándonos en el hecho de que nuestra carne (naturaleza pecadora) fue puesta en la cruz y crucificada junto con Cristo (Rom. 6:11; Gál. 2:20).
GÁLATAS **5:25**	*andemos también por el Espíritu* o "caminemos según lo delineado por el Espíritu Santo". El Espíritu guía y nosotros lo debemos seguir.

10

apuntes

11

Resistamos la tentación

Preparémonos para la sesión

	LECTURAS	PREGUNTAS DE REFLEXIÓN
Lunes	Santiago 1:2-4	¿Crees que las pruebas causan "alegría pura"? ¿Por qué sí o por qué no?
Martes	Santiago 1:12	¿De qué manera tu fe te ayuda a perseverar durante los momentos de pruebas?
Miércoles	Santiago 1:13-15	¿Qué te ha resultado útil al lidiar con la tentación?
Jueves	1 Juan 2:15-17	¿En qué área de tu vida te sientes más tentado a querer más las cosas de este mundo que a Dios?
Viernes	1 Pedro 5:8-11	¿De qué manera tomas precauciones contra Satanás, tu mayor enemigo, y lo resistes?
Sábado	1 Corintios 10:13	¿Cuándo te ha provisto Dios de una vía de escape para la tentación?
Domingo	Salmo 119:11	¿Te vienen a la mente las Escrituras cuando te sientes tentado, con miedo o preocupado? ¿Cómo podrías incorporar a tu vida diaria las enseñanzas de la Biblia?

11

ESTUDIO BÍBLICO
- entender las diferencias entre ser probado y tentado
- identificar las fuentes de tentación y los pecados raíces que conllevan
- reconocer los pasos que hay desde la tentación al pecado

CAMBIO DE VIDA
- valerse de las Escrituras como arma para resistir la tentación
- aprender a "hacer morir" el pecado
- reconocer las consecuencias de entregarse a la tentación
- aceptar la responsabilidad

Rompehielos

(10-15 minutos)

**NOS
REUNIMOS
En grupos
de 6–8
personas,
colocadas
en forma de
herradura.**

Mi fantasía olímpica. ¿En qué deporte o evento crees que te satisfaría más ganar una medalla de oro en las olimpiadas? Explica tu respuesta con brevedad. (Abajo encontrarás una lista de deportes/eventos con algunos ejemplos específicos para refrescar tu memoria.)

VELOCIDAD	carreras, natación, patinaje, esquí, ciclismo
ESTILO Y PRECISIÓN	gimnasia, buceo, carrera de caballos, patinaje sobre hielo
RESISTENCIA	levantamiento de pesas, lucha, boxeo
COMBINACIÓN	básquetbol, béisbol, tenis, fútbol, hockey, voleibol, decatlón

- El deporte/evento olímpico en el que quisiera ganar mi supuesta medalla de oro es:

- Elijo este deporte/evento porque:

Información para recordar: En los espacios provistos anota la información que vas a necesitar, como parte de este grupo, en las próximas semanas:

PERSONAS

1. Una persona del grupo (aparte del líder) de quien aprendí en esta semana fue:

2. Una persona que me animó el espíritu fue:

EVENTOS: Un evento que se realizará y en el cual quiero asegurarme de que participaré es _____.
Será a la/s _____ (hora) el _____
(fecha) en _____ (lugar).

Y si tengo tiempo, me gustaría también participar en _____.
Será a la/s _____ (hora) el _____ (fecha) en
_____ (lugar).

Estudio bíblico

(30-45 minutos)

Pasaje bíblico para esta semana:

¹²Bienaventurado el varón que soporta la tentación; porque cuando haya resistido la prueba, recibirá la corona de vida, que Dios ha prometido a los que le aman.
¹³Cuando alguno es tentado, no diga que es tentado de parte de Dios; porque Dios no puede ser tentado por el mal, ni él tienta a nadie; ¹⁴sino que cada uno es tentado, cuando de su propia concupiscencia es atraído y seducido. ¹⁵Entonces la concupiscencia, después que ha concebido, da a luz el pecado; y el pecado, siendo consumado, da a luz la muerte.

...acerca de la sesión de hoy

11

1. ¿Qué líder romano saboteó sus logros y posición con su fracaso para resistir la tentación? ¿Qué líder contemporáneo sufrió una consecuencia semejante?

2. ¿Qué lección se puede aprender de estos ejemplos negativos?

3. Completa esta cita de Jerry Bridges: En tus mejores días nunca dejes de _____ de la gracia de Dios, y en tus peores días nunca dejes de _____ la gracia de Dios".[1]

Identifiquémonos con el relato

En grupos de 6–8 personas colocadas en forma de herradura y explorar las preguntas mientras haya tiempo.

1. Describe en pocas palabras a un profesor que recuerdas que haya dado exámenes originales o difíciles.

2. Cuando se trata de morder el anzuelo con la carnada de la tentación, soy como...
   ☐ una trucha, salto del agua para alcanzarla.
   ☐ una agalla azul, la mordisqueo un poco antes de morderla.
   ☐ un tiburón, me la trago entera.
   ☐ una perca, soy un mamón ante un señuelo bonito
   ☐ un pececillo de colores, las hojuelas flotantes me caen bien, gracias.
   ☐ Otro: _____

la sesión de hoy

¿Qué te está enseñando Dios mediante este relato?

1. ¿Cuál es la diferencia entre la prueba y la tentación?

2. ¿Cuáles son los beneficios de la prueba? ¿Qué resultados positivos podrían darse cuando se resiste con éxito a la tentación?

3. ¿Cuáles son las tres fuentes de tentación?
   a. _____
   b. _____
   c. _____

4. ¿Cuáles son los tres pecados raíces según Robertson McQuilkin?

a. _____

b. _____

c. _____

5. Establece la relación entre las tres fuentes de tentación y los tres pecados raíces tal como se presentan en esta sesión.

_____

_____

_____

6. Bosqueja los siete pasos de la tentación que se encuentran en Santiago 1:14-15

a. _____ "es atraído"

b. _____ "cuando de su propia concupiscencia"

c. _____ "seducido"

d. _____ "Entonces la concupiscencia, después que ha concebido"

e. _____ "da a luz el pecado"

f. _____ "y el pecado, siendo consumado"

g. _____ "da a luz la muerte"

Aprendamos del relato

En grupos de 6–8 personas colocadas en forma de herradura; elegir una respuesta y explicar por qué se eligió.

1. Según las enseñanzas sobre las tres fuentes de tentación, determina una que te dé más problema:

☐ el mundo   ☐ la carne   ☐ el diablo

2. Es más probable que yo sea más vulnerable a ser arrastrado y tentado cuando estoy: (Elige dos o tres respuestas que se apliquen a tu caso.)

☐ fuera de la ciudad ☐ solo   ☐ cansado
☐ furioso   ☐ aburrido   ☐ ansioso
☐ deprimido   ☐ triste   ☐ estresado
☐ con incrédulos   ☐ otro:

11

3. ¿Cómo te calificarías, de 1 a 10, al poner tu fe a prueba?

4. ¿Cómo te calificarías al resistir la tentación? (Usa la misma escala de 1 a 10.)

lecciones para cambiar mi vida

1. ¿Cómo puedes usar las Escrituras como arma para resistir la tentación?

2. ¿Qué significa "hacer morir" el pecado?

3. ¿Qué es bueno tener en cuenta cuando sobreviene la tentación?

4. ¿De qué manera aceptar la responsabilidad mutua constituye una estrategia valiente y eficaz para luchar contra la tentación?

Ministración

(15-20 minutos)

Dediquen tiempo ahora para orar unos por los otros. Que cada persona del grupo, por turno, ore por quien tiene a su derecha. Usen la lista de oración y alabanza y la de peticiones.

"Querido Dios, quiero hablarte acerca de mi amigo _____". Concluye dando gracias a Dios por estar juntos como grupo. Pídele que te dé la fortaleza para aferrarte a lo que de verdad es importante en la vida y para resistir la tentación.

Ora de forma específica para que Dios te guíe a invitar a alguien para que la semana que viene se siente en la silla desocupada.

Referencias

Usa estos apuntes para comprender mejor el texto
cuando lo estudies tú solo.

**SANTIAGO
1:12**

que soporta la tentación. Este versículo se relaciona con los anteriores que se refieren a las pruebas, y no con los versículos que siguen que se refieren a la tentación. La perseverancia que se expresa en los versículos 3, 4 y 12 es la respuesta adecuada a las pruebas, mientras que la resistencia es la respuesta adecuada a la tentación.

cuando haya resistido la prueba La palabra griega *dokimos* describe la prueba eficaz que se realiza para probar los metales preciosos y las monedas. Habla de un proceso de pruebas y de verificación posterior. Algunas versiones bíblicas traducen *dokimos* por "una vez que ha sido aprobado" (Dios Habla Hoy).

la corona de la vida. Esto se refiere a una corona que se le colocaba en la cabeza a los líderes militares o a los atletas cuando ganaban (2 Tim. 4:8; 1 Ped. 5:4; Apoc. 2:10). Según los eruditos, Santiago se refiere a la futura recompensa del creyente, la vida eterna. Sin embargo, algunos comentaristas insisten en que ya que la corona es un logro por la perseverancia que sigue a la conversión (la perseverancia antes de convertirse sería irrelevante), el versículo debe referirse a una calidad de vida más alta ahora.

**SANTIAGO
1:13**

Dios no puede ser tentado por el mal. Dios es santo y por eso no puede ser tentado. Él no es corrupto, y la tentación no podría interesarle.

**SANTIAGO
1:14**

es atraído y seducido. Los verbos que se usan en el griego describen un pez que es atraído por la presencia o el olor de la carnada. Los pescadores ponen con frecuencia trampas con carnadas y anzuelos. Las trampas o los anzuelos deben esconderse y la carnada, sobresalir. La tentación tiene éxito debido a nuestro deseo natural por la carnada, en tanto que oculta la trampa mortal y el anzuelo afilado.

**SANTIAGO
1:15**

la concupiscencia, después que ha concebido. Santiago cambia las metáforas de la concepción y el nacimiento, presentando una genealogía del pecado. La primera generación es el deseo o la lujuria, que se compara con una mujer que queda embarazada. Esto describe de forma gráfica lo que pasa cuando se cede a la tentación.

da a luz el pecado. Tal como un bebé es el resultado del embarazo, el pecado es el resultado de ceder a la tentación.

y el pecado, siendo consumado, da a luz la muerte. El pecado crece, hasta que es consumado y está bien arraigado y listo para producir su fruto (la tercera generación). El pecado produce un bebé llamado "muerte espiritual". Las generaciones del deseo, el pecado y la muerte se ven en las tentaciones de Eva (Gén. 3:6–22) y David (2 Sam. 11:2–17).

11

---

[1] Jerry Bridges, *The Discipline of Grace* (*La disciplina de la gracia*, NavPress, 1974), 18.

apuntes

Superemos las dudas

Preparémonos para la sesión

	LECTURAS	PREGUNTAS DE REFLEXIÓN
Lunes	Mateo 11:2–3	¿Por qué crees que Juan comenzó a cuestionarse quién era Jesús? ¿Qué pruebas te llevan a dudar de Jesús?
Martes	Mateo 11:4-5	¿De qué manera le ofreció Jesús seguridad a Juan? En tiempo de desalientos y dudas, ¿qué es lo que más renueva tu ánimo y fe?
Miércoles	Mateo 11:6	¿Cuándo te has cuestionado algo que Dios permitió que sucediera en tu vida? ¿De qué forma se vio afectada tu fe?
Jueves	Éxodo 4:10–17	¿Cuándo te llamó Dios a hacer algo para lo que no te sentías cualificado? ¿Cómo respondiste?
Viernes	Jueces 6:11–18	¿Una "señal" de Dios aumentaría tu fe? ¿Por qué sí o por qué no?
Sábado	Marcos 9:19–25	¿Cuándo te has sentido como el padre del versículo 24, cuando dijo: "Creo; ayuda mi incredulidad"?
Domingo	Santiago 1:2-8	¿Cómo puedes evitar tener un "doble ánimo"?

12

ESTUDIO BÍBLICO

- entender las dinámicas de la duda sobre la identidad de Dios
- reconocer los factores de la duda sobre el plan de Dios
- darnos cuenta de la tendencia a dudar del poder de Dios

CAMBIO DE VIDA

- identificar los "tipos" o clases de duda
- admitir las dudas referentes a Dios, y pedir ayuda
- retornar a la Palabra de Dios cuando nos confrontemos con la duda
- reclamar las promesas que encontramos en la Biblia
- recordarnos a nosotros mismos las victorias

Rompehielos

(10-15 minutos)

**NOS
REUNIMOS
En grupos
de 6–8
personas,
colocadas
en forma de
herradura.**

Lista de deseos. De la siguiente lista elige dos cosas que desearías que sucedieran, pero que dudas de que ocurran en tu vida.

- ☐ Ganar el campeonato mundial de _____.
- ☐ Que el precio de la gasolina bajara unos centavos.
- ☐ Que una mujer fuera presidenta de tu país.
- ☐ Que se descubriera la cura para _____.
- ☐ Ganar el torneo de _____.
- ☐ Que la televisión produjera una serie tan cómica como _____.
- ☐ Que el más descolocado de tus conocidos se convirtiera en una persona normal.
- ☐ Que la paz en el Medio Oriente fuera una realidad permanente.
- ☐ Que el más reacio al evangelio se convirtiera en evangelista.
- ☐ Que existan organizaciones para jubilados cuando dejes de trabajar en tu vejez.
- ☐ Que mi suegro/a admitiera que yo tenía razón sobre _____.

Información para recordar: Completa las oraciones que siguen mientras observas a las personas que están aquí hoy.

1. Una persona de la que quisieras oír algo hoy es:

2. Una persona a la que Dios me podría dirigir para que hoy le diga algo especial es:

Estudio bíblico

(30-45 minutos)

APRENDAMOS
DE LA BIBLIA

Pasaje bíblico para esta semana:

MATEO
11:2–6

2Y al oír Juan, en la cárcel, los hechos de Cristo, le envió dos de sus discípulos, 3para preguntarle: ¿Eres tú aquel que había de venir, o esperaremos a otro?

4Respondiendo Jesús, les dijo: Id, y haced saber a Juan las cosas que oís y veis. 5Los ciegos ven, los cojos andan, los leprosos son limpiados, los sordos oyen, los muertos son resucitados, y a los pobres es anunciado el evangelio; 6y bienaventurado es el que no halle tropiezo en mí.

...acerca de la sesión de hoy

PALABRAS
DEL LÍDER

1. La duda es una parte _____ y _____ de la experiencia cristiana.

Escribe
aquí tus
respuestas.

2. ¿Qué encuentra de positivo el escritor Frederick Buechner con respecto a la duda?

3. ¿Qué aspecto de Dios es más probable que contribuya a que batallemos con la duda?

12

Identifiquémonos con el relato

En grupos de 6–8 personas colocadas en forma de herradura y explorar las preguntas mientras haya tiempo.

1. Todos hemos oído sobre la duda de Tomás, pero no debemos llegar a la conclusión de que todos los demás de la Biblia rebosaban de fe. Mira la siguiente lista y completa esta oración: "El incrédulo de la Biblia con quien más me identifico es..."

   ☐ Moisés. Dudo que me vaya a escuchar mi malvado jefe.
   ☐ Gedeón. Dudo, Señor, que tengas a la persona indicada para el trabajo.
   ☐ Un israelita en el desierto. Dudo que encontremos agua aquí.
   ☐ Un espía de la tierra prometida. Dudo que podamos vencer la resistencia que vamos a enfrentar.
   ☐ La esposa de Lot. Dudo que una miradita me perjudique.
   ☐ Pedro. Dudo que haga algo que te decepcione, Señor... oooh.
   ☐ Tomás. Dudo de tus palabras a menos que lo vea yo mismo.
   ☐ Otro: _____

2. Si tú hubieras sido Juan el Bautista mientras estaba en la cárcel, ¿qué te estarías diciendo?

   ☐ "Lo menos que Jesús puede hacer es venirme a visitar".
   ☐ "¿Vale la pena estar en la cárcel y quizá morir por esto?"
   ☐ "Tal vez le pueda decir a Herodes que hubo un malentendido muy grande".
   ☐ "¡No sé cómo le puedo ser útil a Dios aquí!"
   ☐ "Si Jesús es tan poderoso, entonces, ¿por qué no me saca de aquí?"
   ☐ Otro: _____

3. Si tú hubieras sido Jesús, ¿cómo habrías respondido al escuchar las expresiones de duda de Juan?

   ☐ Con enojo. "Vayan y díganle a Juan que se deje de quejar. La cárcel no es nada en comparación con lo que yo tendré que enfrentar".

☐ Con compasión. "Vamos muchachos, hoy tenemos que ministrar un poco en la cárcel. Tengo un amigo que necesita que le levanten el ánimo".

☐ Con desilusión. "¿Duda de mí? *¿Juan* está dudando de mí? ¡Después de todo lo que hemos pasado juntos!"

☐ Con preocupación. "Tenemos que orar por Juan. Pedro, dirígenos en oración y tú Judas, concluye. No, esperen, yo concluyo".

☐ Con aliento. "Discúlpame, Tomás, pero si yo fuera tú no criticaría demasiado a Juan por dudar".

☐ Otro: _____

la sesión de hoy

¿Qué te está enseñando Dios mediante este relato?

1. ¿Cuáles son las experiencias que nos podrían causar dudas sobre la identidad de Dios?

2. Cuando tenemos dudas con respecto al plan de Dios, algunas veces se centran en Dios _____ y/o Dios _____.

3. ¿Cómo lidió Juan con el plan de Jesús?

4. ¿Cuáles son las dos maneras en las que el tiempo elegido podría ser un problema?

   _____

   _____

5. ¿Cuál es la "bienaventuranza olvidada"?

6. Podríamos tener dudas con respecto a la identidad y el plan de Dios, y también sobre su _____.

7. ¿Cómo respondió Jesús a las posibles dudas que Juan tenía con respecto a su poder?

12

Aprendamos del relato

En grupos de 6–8 personas colocadas en forma de herradura; elegir una respuesta y explicar por qué se eligió.

1. ¿Con cuál de los siguientes tipos o clases de duda estás lidiando?

☐ La existencia de Dios ☐ La rectitud de Dios
☐ La justicia de Dios ☐ La compasión de Dios
☐ La fidelidad de Dios ☐ La sabiduría de Dios
☐ La misericordia de Dios
☐ El amor incondicional de Dios

2. ¿Recuerdas algún momento en que tuviste dudas serias sobre uno de los planes de Dios para tu vida?

3. Cuando dudaste de los planes de Dios, ¿dudabas de Dios como arquitecto del plan o de Dios como administrador del mismo?

4. ¿Recuerdas algún momento en que lidiaste con el tiempo elegido por Dios?

lecciones para cambiar mi vida

¿Cómo puedes aplicar esta sesión a tu vida?

Escribe aquí tus respuestas.

1. Cuando identifiques tu "tipo" de duda, pregúntate si estás dudando de:

_____

_____

_____

_____

_____

2. ¿Qué lección sobre la duda y la fe se aprende en Marcos 9:14-29?

3. ¿Qué recurso te ha dado Dios cuando te confrontes con la duda?

4. ¿Por qué son tan poderosas las promesas de Dios?

5. ¿Cuáles son las dos fuentes de victoria que te podrían animar?

_____

_____

Ministración

(15-20 minutos)

MINISTRACIÓN

**Permanecer
en grupos de
6-8 personas
colocadas en
forma de
herradura.**

Oren para que cada miembro del grupo admita sus dudas ante Dios, y pídanle que los ayude a superarlas. Incluye en las oraciones los asuntos especiales que se mencionaron al debatir las preguntas de la sección "Aprendamos del relato". Ora también por los motivos expresados en la lista de oración y alabanza.

Ora de forma específica para que Dios te guíe a invitar a alguien para que la semana que viene se siente en la silla desocupada.

12

Referencias

Usa estos apuntes para comprender mejor el texto
cuando lo estudies tú solo.

**MATEO
11:2**

Juan. Juan el Bautista, el hijo de Zacarías y Elisabet, era primo de Jesús. Juan, hijo de un sacerdote, abandonó la comodidad que le ofrecía el sacerdocio en la ciudad para aceptar el llamado de Dios y ser un profeta en el desierto y el precursor del Mesías. Juan declaró que Jesús era el "Cordero de Dios" y dejó que algunos de sus propios discípulos siguieran a Jesús (Juan 1:29–42). Jesús insistió en que Juan lo bautizara, a pesar de la protesta sumisa de éste.

al oír... en la cárcel. Los hechos que rodearon el encarcelamiento de Juan por Herodes se encuentran relatados en Mateo 14:3–5.

los hechos de Cristo. Esto incluye el relato de los milagros, las enseñanzas y el desarrollo de la misión de Jesús.

le envió dos de sus discípulos. Eran aquellos que habían sido sus discípulos antes de que lo encarcelaran. Desconocemos los nombres, pero tiene sentido pensar que algunos del grupo original se podrían haber asustado o desanimado debido al encarcelamiento. El envío de estos discípulos sugeriría que en cierta ocasión se le habría permitido a Juan recibir visitas.

**MATEO
11:3**

¿Eres tú aquel... o esperaremos a otro? Juan, el profeta, había anunciado la venida del Mesías, y luego declaró que Jesús era el Mesías. Sin embargo, Juan permaneció en la cárcel durante meses, y la obra de Jesús no estaba produciendo los resultados que Juan parecía esperar. Juan tenía dudas y buscaba seguridad, y quizá quería que Jesús actuara para anunciar el reino mesiánico, incluyendo la liberación de Israel de la opresión de Roma.

**MATEO
11:4-5**

hacer saber a Juan... a los pobres es anunciado el evangelio. Jesús respondió con una evidencia de su poder sobrenatural, al resumir sus propios relatos y predicaciones, expresados en el relato mesiánico que se encuentra en Isaías 25:5–6; 26:1. Debe mencionarse que al principio de su ministerio, Jesús fue a la sinagoga de Nazaret, se levantó para leer el rollo en Isaías 61:1–2, y luego anunció "Hoy se ha cumplido esta Escritura delante de vosotros" (Lucas 4:21). Esta declaración hecha en los comienzos de su ministerio, seguida por la referencia repetida de Mateo 11, constituye la confirmación de la misión de Cristo. Para expresarlo de forma simple, Jesús estaba diciendo: "Estoy haciendo lo que desde un principio dije que vendría a hacer". El propósito de Jesús era asegurarle a Juan que no tenía que dudar de la identidad de Jesús como Mesías, ni cuestionar su obra mesiánica.

bienaventurado es el que no halle tropiezo en mí. La palabra *skandalizo* en griego significa: "Estoy obstruyendo el camino de alguien". En estos términos el versículo expresa la afortunada posición del hombre que no halla en Jesús un obstáculo para creer, ni para rechazarlo. Jesús no quería que Juan se paralizara debido a la duda y al desánimo.

12

apuntes

Sirvamos a Dios con nuestra vida

Preparémonos para la sesión

	LECTURAS	PREGUNTAS DE REFLEXIÓN
Lunes	Mateo 25:14-15	¿Qué dones y talentos te ha confiado Dios?
Martes	Mateo 25:16-18	¿Qué estás haciendo para aumentar el valor de los dones y los talentos que Dios te ha dado en tu vida?
Miércoles	Mateo 25:19-23	¿Crees que Dios te dirá el día que debas rendirle cuentas: "Bien, buen siervo y fiel"? ¿Por qué sí o por qué no?
Jueves	Mateo 25:24-25	¿Qué temores te refrenan para ejercer tus talentos por completo y servir a Dios?
Viernes	Mateo 25:26-30	¿Cuán fiel eres en las pequeñas cosas que Dios te da para hacer?
Sábado	Filipenses 2:5–7	¿Con qué frecuencia tu actitud para con los demás es de humildad y servicio?
Domingo	2 Timoteo 1:8–9	¿En qué necesitas que el poder de Dios te ayude a vivir una vida santa hoy?

ESTUDIO BÍBLICO
- reconocer el llamado de Dios en nuestra vida a servirlo
- aprender cómo debemos capacitarnos para servirlo con eficacia
- comprender las acciones de un servicio genuino
- considerar las recompensas de un servicio fiel a Dios

CAMBIO DE VIDA
- darnos cuenta de nuestro perfil para el ministerio
- relacionar de forma acorde el perfil personal con las oportunidades ministeriales
- desarrollar nuestros dones en el ministerio
- mantener nuestro equilibrio en el ministerio

Rompehielos

(10-15 minutos)

**NOS
REUNIMOS
En grupos
de 6–8
personas,
colocadas
en forma de
herradura.**

Acepta este trabajo, ¡y quiérelo! ¿Cuál de las siguientes carreras es la que menos te gustaría seguir?

- [ ] relaciones públicas en el mundo de los deportes
- [ ] abogado de las compañías de computación
- [ ] escritor de guiones de caricaturas
- [ ] técnico de sonido para bandas de música metálica
- [ ] inspector de control de calidad de basura informática
- [ ] administrador de campañas electorales
- [ ] ejecutivo de una gran empresa
- [ ] fisioterapeuta especialista en luchadores de sumo
- [ ] consejero vocacional

Información para recordar: Completa las oraciones que siguen mientras observas a las personas que están hoy aquí.

1. Una persona a quien de verdad quiero llegar a conocer es:

2. Una persona que me ha sido de verdad de bendición durante estas sesiones es:

Estudio bíblico

(30-45 minutos)

Pasaje bíblico para esta semana:

**APRENDAMOS
DE LA BIBLIA**

**MATEO
25:14–30**

¹⁴*Porque el reino de los cielos es como un hombre que yéndose lejos, llamó a sus siervos y les entregó sus bienes.* ¹⁵*A uno dio cinco talentos, y a otro dos, y a otro uno, a cada uno conforme a su capacidad; y luego se fue lejos.* ¹⁶*Y el que había recibido cinco talentos fue y negoció con ellos, y ganó otros cinco talentos.* ¹⁷*Asimismo el que había recibido dos, ganó también otros dos.* ¹⁸*Pero el que había recibido uno fue y cavó en la tierra, y escondió el dinero de su señor.* ¹⁹*Después de mucho tiempo vino el señor de aquellos siervos, y arregló cuentas con ellos.* ²⁰*Y llegando el que había recibido cinco talentos, trajo otros cinco talentos, diciendo: Señor, cinco talentos me entregaste; aquí tienes, he ganado otros cinco talentos sobre ellos.*

²¹*Y su señor le dijo: Bien, buen siervo y fiel; sobre poco has sido fiel, sobre mucho te pondré; entra en el gozo de tu señor.*

²²*Llegando también el que había recibido dos talentos, dijo: Señor, dos talentos me entregaste; aquí tienes, he ganado otros dos talentos sobre ellos.*

²³*Su señor le dijo: Bien, buen siervo y fiel; sobre poco has sido fiel, sobre mucho te pondré; entra en el gozo de tu señor.*

²⁴*Pero llegando también el que había recibido un talento, dijo: Señor, te conocía que eres hombre duro, que siegas donde no sembraste y recoges donde no esparciste;* ²⁵*por lo cual tuve miedo, y fui y escondí tu talento en la tierra; aquí tienes lo que es tuyo.*

²⁶*Respondiendo su señor, le dijo: Siervo malo y negligente, sabías que siego donde no sembré, y que recojo donde no esparcí.* ²⁷*Por tanto, debías haber dado mi dinero a los banqueros, y al venir yo, hubiera recibido lo que es mío con los intereses.*

²⁸*Quitadle, pues, el talento, y dadlo al que tiene diez talentos.* ²⁹*Porque al que tiene, le será dado, y tendrá más; y al que no tiene, aun lo que tiene le será quitado.* ³⁰*Y al siervo inútil echadle en las tinieblas de afuera; allí será el lloro y el crujir de dientes.*

13

...acerca de la sesión de hoy

PALABRAS DEL LÍDER

Escribe aquí tus respuestas.

1. ¿De qué modo puso Jesús el ejemplo de la actitud deseada de un siervo?

2. Después de la cruz, ¿qué otro símbolo podría tener Dios para que lo asociáramos con el cristianismo?

3. ¿Con qué medios nos ha capacitado Dios para cambiar el mundo?

Identifiquémonos con el relato

En grupos de 6–8 personas colocadas en forma de herradura y explorar las preguntas mientras haya tiempo.

1. Describe en pocas palabras alguna vez en la que perdiste dinero debido a que:
   ☐ las acciones bajaron
   ☐ se perdió una apuesta
   ☐ no te devolvieron un préstamo que le hiciste a un amigo o un familiar
   ☐ se te perdió la billetera o te la robaron
   ☐ se te perdió o te robaron algo valioso y tuviste que reponerlo
   ☐ te pusieron una multa de tránsito
   ☐ tuviste que pagar una reparación costosa
   ☐ metiste la pata en un negocio o con una venta
   ☐ te perdiste una oportunidad
   ☐ otro:_____

2. ¿Qué piensas del siervo de la parábola que tenía un talento?
   ☐ El señor fue demasiado duro en su forma de tratar al último siervo.
   ☐ El siervo holgazán se lo merecía porque es como si hubiera estado de vacaciones mientras los demás trabajaban.
   ☐ ¿Era culpa del siervo no ser un inversor sabio?
   ☐ Si se le dio sólo un talento era porque su señor tampoco esperaba demasiado de él.
   ☐ Es que algunas personas no se arriesgan.
   ☐ Otro:_____

3. Si se te hubiese dado un talento (1500 dólares) y un plazo de tres años para administrarlo, ¿cuáles serían tus ideas para incrementar dicho dinero?

☐ invertir en fondos mutuos
☐ invertir en acciones
☐ poner el dinero en una cuenta de ahorros
☐ comenzar un negocio (¿cuál?)
☐ invertir en propiedades (¿de qué tipo?)
☐ emplear un asesor financiero profesional (quien se quedaría con un porcentaje)
☐ alguna combinación de las mencionadas con anterioridad
☐ inscribirte en un programa televisivo donde puedas ganar mucho dinero
☐ otro: _____

la sesión de hoy

¿Qué te está enseñando Dios mediante este relato?

1. Según Bill Hybels, ¿cuál es una de las siete maravillas del mundo espiritual?

2. ¿Cómo deberíamos responder al llamado de Dios a servirlo?

3. ¿Cómo nos capacita Dios en primer lugar para que lo sirvamos?

4. La parábola dice: "y el que había recibido cinco talentos, trajo otros cinco talentos... aquí tienes, he ganado otros cinco talentos". Si aplicamos esto a los dones espirituales ¿cómo obtendríamos la ganancia?

   1. _____

   2. _____

5. ¿Cuáles son las recompensas de un siervo fiel?

   1. _____ de la fidelidad
   2. _____ adicionales
   3. Bendiciones _____

13

Aprendamos del relato

En grupos de 6–8 personas colocadas en forma de herradura; elegir una respuesta y explicar por qué se eligió.

1. ¿Cuál es tu primera respuesta cuando oyes que Dios quiere valerse de ti?

2. Aunque tu conocimiento de los dones espirituales sea algo limitado en estos momentos, ¿cuál de los siguientes dones crees que tienes?

   PROFECÍA: es la habilidad de anunciar algo ("de decirlo tal como es"); más que de anunciar lo que sucederá en el futuro.

   EVANGELISMO: es la habilidad de compartir las buenas noticias del evangelio de Cristo con los que no son salvos.

   PASTOREO: es la habilidad de instruir, animar y dirigir una iglesia o un pequeño grupo de creyentes.

   ENSEÑANZA: es la habilidad de estudiar y comunicar las verdades bíblicas con eficacia.

   ADMINISTRAR/DIRIGIR: es la habilidad de organizar proyectos y dirigir a las personas.

   EXHORTACIÓN/ALIENTO: es la habilidad de consolar, motivar y aconsejar con sabiduría.

   FE: es la habilidad de discernir la voluntad de Dios y cumplirla con una seguridad extraordinaria.

   DAR: es la habilidad de contribuir con recursos materiales a la obra del Señor y ayudar a las personas necesitadas con generosidad, frecuencia y alegría.

   AYUDAR/SERVIR: es la habilidad de ayudar y respaldar a los demás de una manera práctica y personal, lo que hace que los ministerios públicos funcionen de forma eficaz y sin problemas.

   MISERICORDIA: es la habilidad de percibir las necesidades de las personas y de corresponder a ellas con consuelo y esperanza.

   HOSPITALIDAD: es la habilidad de ofrecerles tu casa y tu corazón a otros, con cariño y sinceridad, sin ningún espíritu de rencor o envidia.

3. ¿Cómo deberías responder cuando reconoces que a algunas personas se les han dado más talentos que a ti? ¿Cómo deberías responder cuando reconoces que a ti se te han dado más talentos que a algunas personas?

4. ¿Cuál de las recompensas por el servicio fiel te interesa más?

☐ el aplauso del cielo y la reafirmación de Dios
☐ la oferta de mayores oportunidades futuras de servicio e influencia en este mundo
☐ la promesa de las recompensas y el reinado eterno

5. ¿Qué pasaje bíblico, principio, idea o ilustración de esta sesión fue más significativa para ti?

lecciones para cambiar mi vida

Escribe tu nombre en el espacio siguiente.

Ahora escribe tu nombre con la otra mano.

¿Cómo te sentiste al escribir tu nombre con la otra mano? ¿Cómo se ve?

¿Cómo puedes aplicar esta sesión a tu vida?

Escribe aquí tus respuestas.

1. Identifica tu perfil para el ministerio[1]
   Cuando intentes descubrir cómo te ha preparado Dios para el ministerio, dedica un tiempo para responder a estas preguntas:

   ¿Cuáles son mis dones espirituales? _____

   ¿Qué es lo que más me atrae ? ¿Por qué grupos de personas me siento atraído o siento carga? _____

   ¿Qué habilidades, destrezas o intereses especiales tengo? ¿Trabajo mejor con ideas, personas, proyectos o cosas?
   _____

   ¿Soy más bien un precursor o un seguidor? ¿Soy introvertido o extrovertido? ¿Soy una persona que trabaja mejor con las personas o con las metas y las tareas?
   _____

   ¿Cuál es mi experiencia educativa, espiritual y ministerial? ¿Cuáles son mis experiencias más significativas, aun cuando hayan sido dolorosas? _____

13

2. Relaciona de forma acorde tu perfil personal con las oportunidades ministeriales.

   ¿De qué manera compararías relacionar tu perfil para las oportunidades ministeriales con comprar ropa?

   Otras cosas que hay que tener en cuenta:

   A. No debes usar algo _____ _____ lo elige por ti.
   B. Podrás usar algo a _____ que fuera sólo para ti.
   C. No tendrías que usar algo para _____.

3. ¿De qué manera puedes continuar con el desarrollo de tus dones espirituales?

4. ¿Qué quiere decir que "mantengas el equilibrio en el ministerio"?

   De modo práctico, ¿qué deberías hacer para mantener ese equilibrio?

Ministración

(15-20 minutos)

Ora por los motivos de la lista de oración y alabanza, y luego continúa con la evaluación y el pacto.

1. Dedica unos momentos a evaluar la vida de tu grupo usando la siguiente presentación. Lee la primera oración en voz alta y pídele a cada uno que explique cómo calificaría a su grupo. Cuando terminen, evalúa a tu grupo con una puntuación general en las categorías de "Proceso de grupo", "Estudio bíblico" y "Misión".

PROCESO DE GRUPO

Cuando pasamos momentos juntos celebrando o divirtiéndonos, fue algo...

frío. . . . . ardiente

Cuando nos ministramos como grupo, fuimos como...

un puerco espín . . . . un osito de peluche

 ESTUDIO BÍBLICO

Cuando compartimos nuestros relatos espirituales, fuimos como...

un estanque poco profundo . . . . un lago caudaloso

Cuando indagamos la Biblia, fuimos como...

un caracol lento . . . . un oso hormiguero voraz

 MISIÓN

A la hora de invitar gente a nuestro grupo, fuimos como...

una cerca de   una puerta ancha
alambre de púas . . . . y abierta

Al expandir nuestra visión para la misión, fuimos como...

un avestruz . . . . un águila

2. ¿En qué áreas específicas has crecido durante este curso?

- [ ] en el inicio de una relación con Jesucristo
- [ ] en hacerme miembro de una iglesia
- [ ] en hacer prioritaria la asistencia regular a un grupo pequeño
- [ ] en desarrollar un tiempo devocional diario con Dios
- [ ] en hallar la manera de usar mis dones y talentos en el ministerio
- [ ] en desarrollar el hábito del estudio de las verdades bíblicas para ayudarme con los cambios de la vida
- [ ] Otro: _____

Un pacto es una promesa mutua hecha en presencia de Dios. Se propone poner de manifiesto la intención de ustedes de cumplir con los propósitos que comparten de forma mutua. Si el grupo de ustedes va a continuar reuniéndose, válganse de las siguientes oraciones para tratar de llegar a un acuerdo en cada declaración concerniente a las actividades compartidas. En un espíritu de oración, escribe tu pacto como un contrato, establece el propósito, las metas y las reglas básicas para tu grupo.

1. Los propósitos de nuestro grupo serán:

2. Las metas serán:

13

3. Nos reuniremos el _____ (día de la semana).

4. Nos reuniremos durante _____ semanas, después de las cuáles decidiremos si continuaremos como grupo.

5. Nos reuniremos de _____ a _____ y trataremos de comenzar y finalizar con puntualidad.

6. Nos reuniremos en _____ (lugar) o rotaremos de una casa a otra.

7. Acordaremos cumplir con las reglas básicas para nuestro grupo:

☐ PRIORIDAD: Mientras se desarrolle este curso, le darás prioridad a estos encuentros grupales.

☐ PARTICIPACIÓN: Se animará a que todos participen, sin dejar que domine nadie en particular.

☐ RESPETO: Todos tienen derecho a dar su opinión y a plantear preguntas en un entorno motivador y de respeto.

☐ CONFIDENCIALIDAD: Todo lo que se dice en el grupo debe mantenerse de forma reservada, y no repetirse fuera de éste.

☐ CAMBIO DE VIDA: Evaluaremos con regularidad las metas que modifican nuestra propia vida, animándonos unos a otros en nuestra búsqueda de ser más semejantes a Cristo.

☐ LA SILLA DESOCUPADA: El grupo tiene una actitud de apertura para alcanzar a personas nuevas en cada encuentro.

☐ CUIDADO Y APOYO: Se le permitirá a cada uno contar con los demás en cualquier momento, en especial en épocas de crisis. El grupo les ofrecerá cuidado a todos los participantes.

☐ RESPONSABILIDAD MUTUA: Se permitirá que los participantes del grupo nos hagan responsables de los compromisos que se asuman, dentro de un marco de amor decidido de común acuerdo.

☐ MISIÓN: Haremos todo lo que esté a nuestro alcance para comenzar un grupo nuevo.

☐ MINISTERIO: El grupo se animará de forma mutua para servir de manera voluntaria en el ministerio y apoyar a las misiones económicamente y por medio del servicio personal.

Referencias

Usa estos apuntes para comprender mejor el texto
cuando lo estudies tú solo.

**MATEO
25:14**

y les entregó sus bienes. Algunos siervos en los tiempos de Jesús gozaban de una responsabilidad y una autoridad considerables. En este caso los bienes se refieren a dinero y no a propiedades.

**MATEO
25:15**

talentos. Se calcula que el monto oscilaría entre los 1000 y los 300.000 dólares. El talento representa una habilidad o un don.
a cada uno conforme a su capacidad. Los talentos se repartieron de acuerdo a la evaluación que hizo el señor de la capacidad para administrar los recursos que tenían los siervos.

**MATEO
25:16**

y negoció con ellos. Esto no significa que realizara una inversión. El siervo hizo negocios y puso el capital a trabajar para que aumentara.

**MATEO
25:19**

vino el señor de aquellos siervos, y arregló cuentas con ellos. Esta parábola nos enseña que Cristo vendrá y evaluará nuestra fidelidad en el ministerio.

**MATEO
25:24**

eres hombre duro, que siegas donde no sembraste y recoges donde no esparciste. El siervo sostenía que su situación era desventajosa. De haber incrementado el talento que se le dio, sólo habría visto una pequeña ganancia. Si hubiera perdido todo el dinero, se tendría que haber enfrentado con la furia de su señor. Quizá estaba resentido, y por despecho quiso devolverle el mismo monto a su señor. A pesar de eso, él era responsable de una buena administración.

**MATEO
25:26**

sabías que siego donde no sembré y que recojo donde no esparcí. El señor usó las mismas palabras del siervo para hacerle ver su culpabilidad. Si el señor era tal explotador, entonces el siervo debería haber puesto, al menos, el dinero en un lugar seguro que le reportara interés y que no requiriese un esfuerzo por su parte.

**MATEO
25:27**

debías haber dado mi dinero a los banqueros... y al venir yo, hubiera recibido lo que es mío con los intereses. En los primeros tiempos del imperio romano, el interés lícito era de un ocho por ciento, pero en ciertas transacciones de préstamos, los prestamistas judíos podían obtener un 12, 24 ó 48 por ciento de los gentiles. (La ley mosaica les prohibía a los judíos cobrar intereses.)

**MATEO
25:30**

al siervo inútil echadle en las tinieblas de afuera. Esto habla del desagrado que el Señor siente por los que fallan al usar lo que Dios le ha encomendado. Hacer de este versículo una declaración sobre la salvación podría contradecirse con Efesios 2:8–9. "Es peligroso hacer teología basándose en parábolas"... "El hombre con quien el Señor lidió, perdió su oportunidad para servirlo y no obtuvo la recompensa. Para mí esto significa estar en la oscuridad".[2]

---

[1] Rick Warren, *The Purpose-Driven Church* (*Una iglesia con propósito*, Gran Rapids, MI: Zondervan, 1995).
[2] Gordon MacDonald, *Ordering Your Private World* (*Ponga en orden su mundo interior*, Nasvhille: Thomas Nelson, 1984), 85.

13

PASA ESTA LISTA PARA QUE CADA MIEMBRO DEL GRUPO APUNTE SU NOMBRE Y NÚMEROS TELEFÓNICOS.

Lista del grupo

NOMBRE

TELÉFONO

Lista de oración y alabanza

Ora por...

Alaba a Dios por...

apuntes